Cambios de forma e inicio del peinado

Contenidos desarrollados para los
Programas de Cualificación Profesional Inicial
y los establecidos para el
Certificado de Cualificaciones Profesionales Nivel 1

VIDEOCINCO
EDITORIAL

Teléfono: 915 429 352. Fax: 915 429 590
Teléfono de pedidos y atención al cliente: 915 411 034
www.videocinco.com

Proyecto editorial

Equipo de ediciones de Videocinco

Dirección y coordinación

Paloma López Mardomingo

Autores

Laura Escolano y Amparo Tejedor

Colaboración especial

Instituto Superior de Inteligencia Emocional I.S.I.E. (Ana Bayón y Antonio Esquivias)

Ilustración

Rubén Alcocer

Esther Gili

Fotografía

Federico Reparaz y Alvaro Tomé

Diseño de portada

Ramón Ors

Diseño

PeiPe, s.l.

Maquetación

PeiPe, s.l.

Edición

J. Martínez Retuerto

Impresión

Gráficas Monterreina

© 2012 por editorial Videocinco

Teléfono: 915 429 352 Fax: 915 429 590

Teléfono de pedidos y atención al cliente: 915 411 034

www.videocinco.com

ISBN: 978-84-96699-53-3

Depósito legal: M-33973-2010

Impreso en España. *Printed in Spain*

ÍNDICE

El libro que tienes en tus manos pretende destacar los significados implícitos que hay detrás de una forma, un tamaño o un peinado concreto.

A través de los contenidos y las actividades adquirirás no solo unos conocimientos, también unas habilidades y actitudes que te permitirán desarrollar tu creatividad en múltiples aspectos, tanto profesionales como personales.

Aprenderás; lo que puede transmitir un peinado o forma determinada o qué es lo que puede favorecer más a un cliente, así como la forma de expresarlo.

1

TEMA

Aparatos, útiles y accesorios profesionales

" En la evolución del ser humano el cuidado del cabello se observa en cuanto aparecen los primeros indicadores de cultura, es decir, se trata de algo que ha acompañado siempre al *homo sapiens*.

1. MATERIALES Y EQUIPOS

El equipo profesional y de trabajo es muy amplio y variado, y es importante que desde el primer día se empiecen a conocer sus nombres técnicos, funciones y usos más frecuentes que luego se irán ampliando en el transcurso de la actividad formativa y profesional.

1.1. PARA LA PROTECCIÓN

Del profesional

TIPO	¿PARA QUÉ SE USA?	MANTENIEMIENTO Y CONSERVACIÓN
Bata o uniforme	▶ Protege nuestra ropa. ▶ Debe ser cómoda, fácil de lavar y planchar, estar siempre limpia, sin arrugas y bien perfumada. ▶ Debemos tener otra de repuesto. ▶ Debe ser de tejido resistente.	▶ Si nos manchamos tendremos que ponernos de inmediato otra limpia. ▶ La guardaremos lavada y planchada hasta el siguiente uso.
Guantes	▶ Nos protegen las manos. ▶ Son imprescindibles siempre que la sustancia que utilicemos pueda ser agresiva para la piel. ▶ Los más utilizados son los de látex y vinilo, aunque hay otros materiales como plástico o silicona. ▶ Después de su uso es aconsejable ponernos crema en las manos.	▶ Si no son desechables una vez terminado su uso los lavamos, secamos y aplicamos talco para volver a usarlos. ▶ Los guardaremos totalmente secos.
Delantal o chaleco protector	▶ Normalmente son de plástico o material impermeable. ▶ Protege nuestra ropa de trabajo (bata o uniforme) frente posibles manchas o salpicaduras de productos.	▶ Lo limpiaremos con una bayeta húmeda después de su uso. ▶ Lo guardaremos seco.

Pon en práctica

1. ¿Por qué son importantes los guantes en los cambios de forma?

Del cliente

TIPO	¿PARA QUÉ SE USA?	MANTENIMIENTO Y CONSERVACIÓN
Toallas	▶ Además de secar el cabello tras el lavado, nos ayuda a recoger la humedad que cae del cabello y no mojar las prendas del cliente. ▶ Debe utilizarse una toalla limpia con cada cliente.	
Bata	▶ Protege la ropa de nuestro cliente, por eso hasta que no esté terminado todo el proceso no se retirará. ▶ Siempre debe utilizarse una bata limpia con cada cliente.	▶ La lencería debemos lavarla en la lavadora a la temperatura adecuada, según el tejido con el que este fabricada. ▶ La guardaremos lavada y planchada hasta el siguiente uso.
Peinador	▶ Es una prenda que se ajusta al cuello, con ella se protege la ropa del cliente durante el proceso de peinado.	
Capa protectora	▶ Se fabrica en tela impermeable, normalmente plástico. ▶ Es una prenda que se ajusta al cuello, con ella se protege al cliente de los cosméticos empleados en los cambios de forma permanentes o cosméticos líquidos que utilizamos en los cambios de forma temporales, como el plis.	
Algodón	▶ Siempre que trabajemos con cosméticos líquidos, debemos tener un poquito de algodón a mano, por si el producto gotea y resbala hacia la cara. ▶ Esta medida es especialmente importante cuando el cosmético sea peligroso para los ojos y vías respiratorias como los líquidos que utilizamos en los cambios de forma permanente.	▶ Renovar cuando se agoten existencias.

Pon en práctica

2. ¿Por qué debo utilizar una toalla limpia con cada cliente?

1.2. ÚTILES Y ACCESORIOS

Cepillos y peines

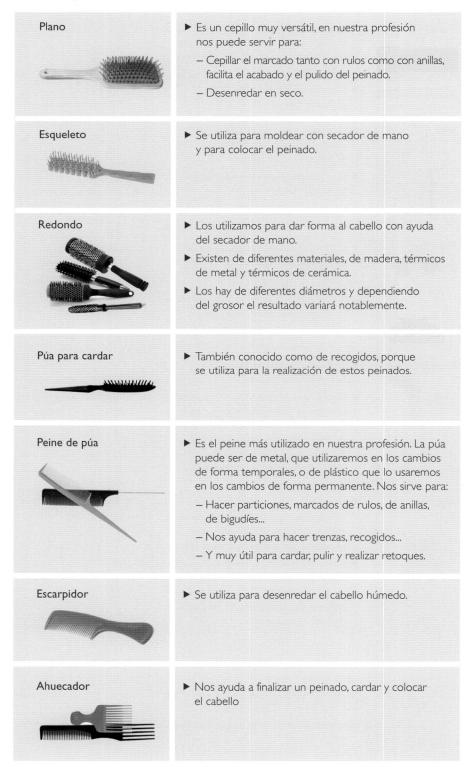

Plano

▶ Es un cepillo muy versátil, en nuestra profesión nos puede servir para:

    – Cepillar el marcado tanto con rulos como con anillas, facilita el acabado y el pulido del peinado.

    – Desenredar en seco.

Esqueleto

▶ Se utiliza para moldear con secador de mano y para colocar el peinado.

Redondo

▶ Los utilizamos para dar forma al cabello con ayuda del secador de mano.

▶ Existen de diferentes materiales, de madera, térmicos de metal y térmicos de cerámica.

▶ Los hay de diferentes diámetros y dependiendo del grosor el resultado variará notablemente.

Púa para cardar

▶ También conocido como de recogidos, porque se utiliza para la realización de estos peinados.

Peine de púa

▶ Es el peine más utilizado en nuestra profesión. La púa puede ser de metal, que utilizaremos en los cambios de forma temporales, o de plástico que lo usaremos en los cambios de forma permanente. Nos sirve para:

    – Hacer particiones, marcados de rulos, de anillas, de bigudíes...

    – Nos ayuda para hacer trenzas, recogidos...

    – Y muy útil para cardar, pulir y realizar retoques.

Escarpidor

▶ Se utiliza para desenredar el cabello húmedo.

Ahuecador

▶ Nos ayuda a finalizar un peinado, cardar y colocar el cabello

Moldes

Rulos

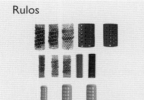

▶ Los utilizamos para realizar marcados e imprimir forma al cabello. Están fabricados en diferentes materiales como plástico, red, metal (o franceses), velcro. Los rulos calientes pueden ser metálicos, de plástico. Todos tienen diferentes diámetros.

▶ Dependiendo del resultado que queramos conseguir utilizaremos unos u otros.

▶ Se sujetan con pinzas o picas.

Bigudíes

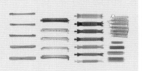

▶ Es el molde que más se utiliza en los cambios de forma permanente. Pueden ser de diferentes diámetros y materiales (plástico o madera).

▶ Se sujetan con una goma.

Bodys

▶ Se utiliza en los cambios de forma permanente.

▶ Dependiendo del resultado elegiremos un diámetro u otro.

Accesorios

Pinzas

▶ Se utilizan para sujetar los rulos, las anillas o sujetar particiones de cabello.

▶ Pueden ser de metal por lo que tenemos que tener cuidado con el agua para que no se oxiden, si son de plástico también tenemos que tener cuidado con el muelle interior y el pasador que suelen ser de metal.

Picas o pinchos

▶ Son unos alfileres grandes de plástico ligeramente flexibles.

▶ Nos ayudan a sujetar los rulos.

Horquillas

▶ Se utilizan para sujetar el cabello. Pueden ser: de clip, de moño o invisibles.

▶ Al ser de metal (con pintura clara u oscura) se pueden oxidar por eso tenemos que mantenerlas alejadas de la humedad.

Gomas

▶ Nos ayudan a sujetar el cabello en coletas o trenzas. Tienen que estar sin humedad.

En tu trabajo…

No olvides que el orden y el conocimiento de los útiles empleados en el trabajo, son muy importantes y proporciona una buena imagen al cliente sobre la organización del salón y la profesionalidad del peluquero o peluquera.

Bol	▶ Lo utilizaremos para verter líquidos en él, agua, líquido reductor, neutralizante...
Esponja	▶ Nos ayuda en la administración de líquidos, como el reductor o el neutralizante.
Papel de permanente	▶ Nos ayuda a que las puntas no se doblen en el enrollado de moldes en los cambios de forma permanente.
Gorro de plástico	▶ Se utiliza para cubrir el cabello en los cambios de forma permanente. ▶ Aumenta la temperatura, por lo que reduce el tiempo de exposición.
Muñequera	▶ Se utiliza en los cambios de forma permanentes, facilita la extracción de los papelillos de permanente.
Palitos separadores	▶ Palillos planos, finos, flexibles y con agujeros. Se utiliza para evitar que las gomas de los bigudíes se marquen en el cabello pudiendo dejar marcas o romper el tallo capilar. Si no tenemos estos palitos podemos sustituirlos por picas.
Redecilla	▶ Prenda de malla que recoge el cabello.

Limpieza, desinfección y mantenimiento

▶ Después de cada uso se limpiarán y, en su caso, se desinfectarán los materiales. Primero quitaremos los cabellos desprendidos que hayan quedado en los útiles y a continuación se lavan sumergiéndoles en desinfectante, por ejemplo glutaraldehido al 2%, siguiendo los tiempos marcados por el fabricante.

▶ Una vez pasado ese tiempo secamos bien y guardamos cada utensilio en una bolsa individual.

▶ Todos los útiles que contengan partes metálicas deben estar lejos de la humedad.

1.3. MATERIAL DESECHABLE

Es el destinado a un solo uso y luego se desecha y se tira en un recipiente destinado para tal fin. Se recomienda su utilización siempre que sea posible como medida de higiene y prevención de contagios.

El material desechable más habitual en peluquería son guantes, gorro de plástico, peinadores, capas, batas, peines…

1.4. APARATOS Y EQUIPOS

Secador de mano		▶ En la actualidad es uno de los aparatos más utilizados e imprescindibles para nuestra profesión. Se utiliza para secar y ayudar a dar forma al cabello. Se puede regular la temperatura y la velocidad del aire. ▶ Tiene dos accesorios, la boquilla, para trabajar con el cepillo o con los dedos porque concentra el aire en una pequeña zona y el difusor que expande el aire suavemente y lo utilizamos para rizar el cabello.
Secador de casco		▶ Se utiliza para acelerar el proceso de secado en los marcados de rulos, anillas, toga… ▶ Tenemos que regular el tiempo, la temperatura y la velocidad del aire.
Tenacillas		▶ Consiste en un cilindro de diferentes diámetros con una resistencia en su interior que produce calor. Se utilizan para ondular, rizar, hacer tirabuzones, etc.
Plancha		▶ Consta de dos placas que se acoplan entre si y por calor, imprime la forma definida por el molde; liso, zigzag, ondas...
Germicida		▶ Aparato que emite radiación ultravioleta C. Se utiliza para mantener los peines, cepillos y otros útiles en un correcto estado de desinfección.

Pon en práctica

3. Explica el uso de los siguientes útiles:

• Los rulos se usan ....
• Los bigudíes se usan ....
• Los bodys se usan..

Mantenimiento y conservación

▶ Los cables deben enrollarse perfectamente después de su uso, si el aparato está caliente (planchas o tenacillas) evitar el contacto del cable con estas zonas.

▶ Los aparatos se guardan sin pelos, sin manchas de cosméticos, sin motas de polvo. La limpieza es fundamental para alargar la vida de los aparatos.

▶ Los aparatos los desenchufaremos tirando del enchufe, nunca tirando del cable.

Revisión

▶ Antes de empezar a trabajar, miraremos el estado general de la instalación y de los aparatos eléctricos.

▶ Es importante comprobar que en la rejilla posterior del secador de mano no hay pelos o polvo, etc., que dificulten su funcionamiento, para ello es necesario limpiarlo frecuentemente.

▶ Los aparatos eléctricos y la instalación deben ser revisados por un técnico especialista.

▶ Tanto los enchufes de los aparatos, como los de la instalación deben estar en perfecto estado, si no es así lo arreglará un técnico especialista.

Seguridad

▶ Todas las herramientas, utensilios y aparatos de trabajo deben tener marcado CE.

▶ Los mangos de las tenacillas, planchas, secadores de mano, cepillos térmicos, etc. deben ser de material aislante térmico.

▶ En el empleo de equipos y maquinaria de trabajo, sigue siempre las instrucciones del fabricante.

▶ No los enchufaremos con las manos mojadas o húmedas.

▶ Nunca enchufaremos un aparato en un enchufe roto o en mal estado.

▶ Debemos tener mucho cuidado con los líquidos derramados en las inmediaciones de los enchufes, aparatos y cuadros eléctricos.

▶ Si un aparato se calienta en exceso, suena diferente, olores extraños, está deteriorado,... desconéctalo inmediatamente y avisa al servicio técnico.

▶ Cuando manipulemos un aparato eléctrico, tendrá que estar desconectado de la red eléctrica.

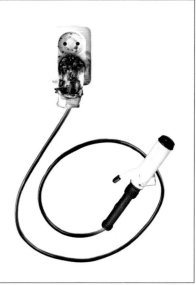

Pon en práctica

4. Pide a tu profesor que te facilite algún folleto con las medidas de seguridad de los aparatos que hay en el taller, léelos en alto y debate con tus compañeros porque son importantes.

Recuerda

▶ Los materiales de protección del profesional son: la bata o uniforme, guantes, delantal o chaleco.

▶ Los materiales de protección del cliente son: toallas, bata, peinador, capa protectora, algodón.

▶ Los útiles y accesorios que utilizamos en los cambios e forma son: cepillos, peines, moldes, pinzas, picas, pinzas, horquillas, gomas, boles, esponjas, papel de permanente, gorro de permanente, palitos separadores, muñequera.

▶ El material desechable lo utilizaremos solo una vez, después lo tiraremos en recipiente específico.

▶ Los aparatos que utilizamos en los cambios de forma son: secador de mano, secador de casco, tenacillas, planchas, y germicida.

▶ Los aparatos siempre deben estar en perfecto estado de limpieza, orden, mantenimiento y conservación para poder ser utilizados en cualquier momento.

▶ Debemos tener especial cuidado con los aparatos eléctricos y revisarlos visualmente, con frecuencia. Siempre los manipulará el servicio técnico. Debemos seguir las normas de seguridad.

Actividades

1 Une con flechas:

Púa para cardar	Se utiliza para hacer secadores de mano y para colocar el peinado.
Esqueleto	Se utiliza para la realización de moños y recogidos.
Redondo	Los utilizamos para dar forma al cabello con ayuda del secador de mano. Los hay de diferentes diámetros.
Cepillo plano	Nos sirve para: cepillar el marcado tanto con rulos como con anillas, "relaja" el cabello para facilitar el acabado y el pulido del peinado, desenredar en seco

2 Nombra los tipos de rulos que conoces. ¿Qué conseguimos con los diferentes diámetros?

3 ¿Qué cuidados debemos tener con los aparatos eléctricos?

Higiene, salud y atención al cliente

TEMA 2

> " Para dar consejos es mejor seguir una pauta de comunicación positiva, donde lo primero sea recoger lo que te gusta o te parezca más destacado del cabello de una persona.

1. RIESGOS PROFESIONALES

Para evitar enfermedades y lesiones asociadas a nuestra profesión en el futuro, es necesario conocer cuáles son los riesgos y las medidas que pueden ayudar a prevenirlos. Los más frecuentes son:

1.1. Enfermedades profesionales más frecuentes

▶ Problemas circulatorios: tanto las varices como lesiones en la columna vertebral pueden aparecer por permanecer durante muchas horas de pie.

▶ Alergias o irritación en la piel: sobre todo en las manos por estar en continuo contacto con el agua y productos químicos.

▶ Quemaduras: cuando utilizamos aparatos eléctricos que emiten calor (secador, planchas, tenacillas, etc.).

1.2. Riesgos en la manipulación y aplicación de cosméticos

Durante el trabajo estamos en continuo contacto con productos químicos que pueden provocar lesiones o enfermedades causadas por la inhalación, ingestión accidental o contacto con la piel.

La lesión más frecuente en el uso de productos para cambios de forma es la producida por contacto directo con la piel. Además de tóxicas, algunas sustancias o mezclas utilizadas en la ondulación o alisado permanente, pueden ser sensibilizantes, irritantes, etc.
¿A quién afecta? A todos los trabajadores.
¿Qué lesiones produce?
Las más frecuentes son: sensibilización cutánea; sequedad; enrojecimiento, inflamación y picor de la piel; reacciones alérgicas; irritación de los ojos, garganta y nariz (rinitis), asma y dermatitis por contacto.

¿Cómo lo prevenimos?
Debemos siempre leer las instrucciones del fabricante y para su aplicación protegernos las manos con guantes de látex y cuando existan olores fuertes o su inhalación pueda ser tóxica utilizar también mascarilla.

1.3. RIESGOS EN LA UTILIZACIÓN DE APARATOS GENERADORES DE CALOR

El riesgo más frecuente es el de la quemadura al rozar el aparato cuando está caliente o el accidente eléctrico si utilizamos el aparato sin las comprobaciones necesarias o con las manos mojadas..

¿Cuáles son las causas?
La mala manipulación de los aparatos eléctricos.
¿A quién afecta?
A todos los trabajadores que no hagan buen uso de ellos.
¿Qué lesiones produce?
Quemaduras de 1°, 2° o 3° grado.

¿Cómo podemos prevenirlo?
Tomando las precauciones necesarias y utilizando los utensilios y herramientas de trabajo que reúnan los requisitos que garanticen su buen funcionamiento. Recordemos las normas de seguridad que hemos estudiado en el tema anterior.

En tu trabajo...

Debemos dar al cliente seguridad y confianza y para ello tenemos que utilizar los productos, útiles y aparatos con la debida destreza y precaución, que tendremos que conseguir con el conocimiento y la práctica profesional.

Pon en práctica

1. ¿Cómo podemos prevenir una dermatitis por contacto con el líquido de permanente?

2. Esta escena se produce en un salón de peluquería. Comentar lo que consideréis correcto o incorrecto en la situación.

   • ¿Serias capaz de trabajar durante 8 horas seguidas con unos zapatos de tacón como los de la imagen?

   • ¿Qué opinas del vestuario de la peluquera? ¿Te parece indicado?

   • ¿Crees que la clienta está debidamente protegida?

Argumenta las respuestas.

2. CUIDADOS Y PROTECCIÓN DEL PROFESIONAL

Higiene personal

▶ Higiene personal: es una rutina diaria de aseo, limpieza y cuidado de nuestro cuerpo. Hay que tener en cuenta que trabajamos en contacto con el cliente y no debemos dar la sensación de abandono por lo que una ducha, el uso del desodorante, limpieza de dientes, uñas arregladas, cara maquillada y pelo estiloso serán una serie de factores que debemos cuidar a diario.

Indumentaria

- 5cm

▶ Indumentaria: debemos usar siempre un calzado adecuado, de tacón bajo, medias de compresión elástica y ropa de trabajo no demasiado ajustada o que oprima ya que es una actividad en el que necesitamos movilidad y comodidad.

Medidas preventivas

▶ Medidas preventivas:

− Aparatos eléctricos: debemos trabajar con cuidado mientras utilizamos aparatos eléctricos que dan calor para no quemarnos. Una vez acabado el trabajo lo dejaremos enfriar en un lugar aislado para que nadie se pueda quemar accidentalmente.

− Sustancias químicas: utilizaremos guantes de látex, delantal, etc. para estar bien protegidos. Debemos leer la etiqueta del producto antes de utilizarlo y nunca dejaremos el bote abierto después de su uso para evitar que se derrame accidentalmente.

− Carga física: el asiento del cliente debe ser regulable en altura para que podamos realizar el trabajo cómodamente. El lavabo también debe ser adaptable. Debemos evitar posturas forzadas.

Pon en práctica

3. ¿Qué pasa si peinas a un compañero con el sillón demasiado alto o bajo? Compruébalo y explica qué te sucede.

3. ERGONOMÍA: FATIGA POSTURAL Y SU PREVENCIÓN

La fatiga postural se produce cuando el trabador realiza un esfuerzo muscular o adopta posturas inadecuadas que mantiene durante la jornada laboral.

¿Cuáles son las causas?
Realizar movimientos repetitivos, sobre todo durante los cambios de forma y peinado. Mantener una postura de pie durante la mayor parte de la jornada laboral. Adoptar posturas forzadas o inclinadas, como la elevación de los brazos por encima de los hombros y torsiones de la espalda continuamente, lo que sobrecarga los músculos, los tendones y las articulaciones.
¿A quién afecta?
A todos los trabajadores de peluquería.

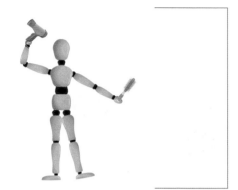

¿Qué lesiones produce?
Dolor y fatiga en las muñecas, brazos, hombros, cuello y piernas. Varices, hinchazón de piernas y callosidades. Tendinitis, inflamación de las rodillas, pinzamiento de nervios. Lumbago (dolor a la altura de las caderas).

¿Cuáles son las medidas preventivas?
Evitar agacharnos doblando la espalda.
En el centro de trabajo habrá un taburete graduable que nos permita sentarnos para no permanecer continuamente de pie.
Los materiales y útiles de trabajo se guardaran en un lugar accesible, preferentemente en los carros auxiliares a la altura de la mano de cada profesional.
Intentaremos programar el trabajo del día alternándolo y variándolo evitando posturas forzadas.
Realizaremos frecuentemente ejercicios de estiramiento y/o relajación.
Iremos periódicamente al médico para que vigile nuestra salud.

4. ATENCIÓN AL CLIENTE

¿Es importante la atención al cliente? ¿Puede influir el trato recibido en que un cliente decida volver al salón? Claro que sí. A todos nos gusta que nos traten con amabilidad, que nos presten atención cuando hablamos, sobre todo, cuando se trata de explicar lo que queremos, lo que nos gusta y lo que esperamos.

4.1 INFORMACIÓN DEL SERVICIO

Cuando un cliente entra en el salón y llega el momento de ser atendido, debemos hablar con él sobre qué es lo que quiere hacerse y le debemos ofrecer soluciones que se adapten a sus ideas y a la información que nos ha facilitado.
Le informaremos utilizando un lenguaje adecuado, sencillo y preciso. Evitaremos el uso de palabras muy técnicas, y en caso de utilizarlas explicaremos su significado para que quede bien claro.

4.2 HIGIENE POSTURAL

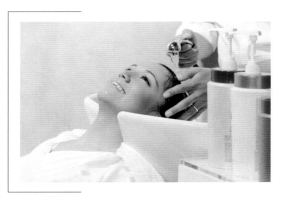

Trataremos de que el cliente se relaje durante el tiempo que va a permanecer en el salón. Que se encuentre lo más cómodo posible durante el proceso y para eso es básico que los sillones sean anatómicos, se regulen en altura, que tengan reposabrazos. También existen unos reposapiés que resultan muy cómodos para que las piernas descansen.
El lavado de cabello debe ser un momento de relax y para que esto suceda el lavabo debe de reunir una serie de características anatómicas.

 Durante todo el proceso intentaremos que el cliente tenga una posición adecuada y cómoda, pero cuando estas sean incomodas, como inclinar la cabeza hacia delante para trabajar la nuca, procuraremos tardar el menor tiempo posible.

Pon en práctica

4. Debatid en clase si os gusta que os atiendan bien y os escuchen cuando vais vosotros a la peluquería como clientes.

5. Entra una persona en el salón y en vez de dirigirnos hacia ella y saludarle seguimos hablando con nuestra compañera o compañero de lo que vimos anoche en la tele, ¿qué crees que puede pasar?

Recuerda

▶ Para utilizar productos químicos debemos usar guantes y mascarilla.

▶ Todos los aparatos eléctricos deben estar en perfecto estado para evitar accidentes.

▶ Debemos estar aseados, limpios y cómodos para trabajar.

▶ Los asientos deben ser regulables en altura.

▶ Mantendremos en todo momento una postura cómoda y relajada para trabajar.

▶ Nos agacharemos flexionando las rodillas.

▶ Escucharemos al cliente sobre lo que desea hacerse y le propondremos soluciones.

▶ El cliente debe permanecer cómodo durante el rato que dure el servicio.

Actividades

1 Completa las siguientes frases:

   a) _____ el asiento del cliente para trabajar cómodamente.

   b) Realizaremos ejercicios de _____ y/o _____ muscular
      para evitar dolores de brazos, hombros, cuello, etc.

   c) Al agacharnos doblaremos _____ para no forzar la postura.

2 Con ayuda de tu profesor formad 3 grupos de trabajo y organizad un teatrillo donde cada grupo sea:

   a) Peluquero que no escucha y no para de hablar él.

   b) Peluquero que escucha pero no da su opinión.

   c) Peluquero que escucha y da su opinión.

Debatid cuál es el peluquero que más os ha gustado y por qué.

3 ¿Qué crees que quiere decir "Una imagen vale más que mil palabras"?

4 Busca en internet mobiliario de peluquería que te guste y creas que resultaría cómodo para ti como profesional y argumenta tu elección.

5 Busca información de cómo se deben curar las quemaduras.

6 Busca en internet una tabla de ejercicios para la columna vertebral y practicala durante un mes, ¿notas algunas mejoría?

7 La destreza y soltura en las manos es imprescindible para dar un servicio de calidad. Realiza habitualmente estos sencillos ejercicios que te ayudarán a adquirir la agilidad que precisa un buen profesional.

   a) Brazo extendido mirando hacia el suelo (pronación)
      Girar la mano hasta que mire hacia arriba (supinación).

   b) Manos totalmente apoyadas sobre una superficie plana e
      ir levantando los dedos uno a uno, del meñique al pulgar.

   c) Mano y antebrazo en la misma dirección paralelos al suelo
      Doblar la muñeca hacia abajo (flexión) y hacia arriba
      (extensión).

a)   b)   c)

3
TEMA

El cabello y el cuero cabelludo

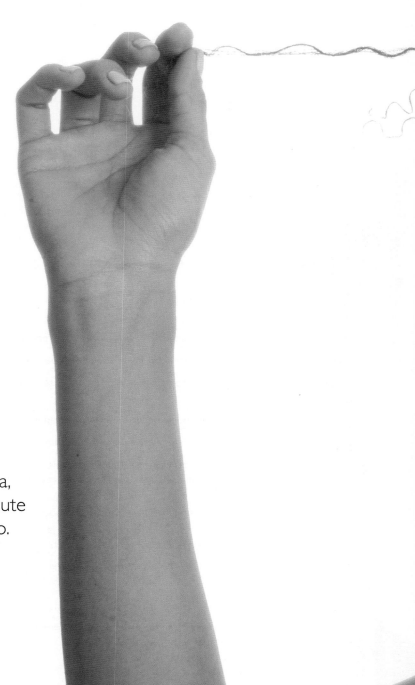

" Una situación emocional positiva, donde la persona está contenta, repercute también en la belleza y salud del cabello.

1. LA PIEL

La piel es el tejido que rodea nuestro cuerpo. En ella están los anexos cutáneos: glándulas sudoríparas, glándulas sebáceas, uñas y pelo. Está formada por tres capas: epidermis, dermis e hipodermis.

▶ Epidermis: es la capa más externa, la parte que vemos y tocamos.

▶ Dermis: está constituida por el tejido conjuntivo. Es el soporte de la piel.

▶ Hipodermis: es una capa de tejido adiposo (grasa) que se encuentra situada entre los músculos y la dermis.

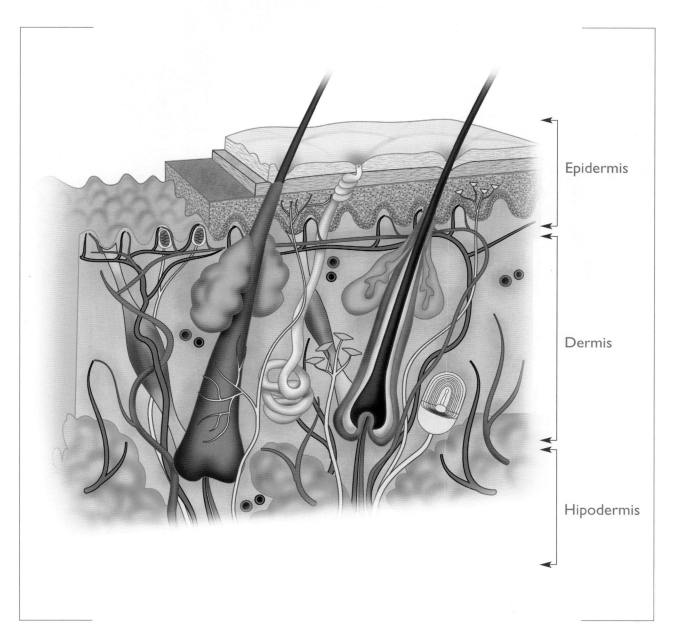

Epidermis

Dermis

Hipodermis

Epidermis

La epidermis es la capa más exterior de la piel. Aunque nos parece lisa, está llena de pliegues, surcos y orificios. Está formada por varias capas o estratos. En la epidermis, están presentes los **queratinocitos** y los **melanocitos**.

Los **queratinocitos** son células que se encargan de fabricar queratina.

La **queratina** es una proteína muy resistente que aporta dureza y resistencia a las uñas y al pelo.

Los **melanocitos** son las células encargadas de la fabricación de melanina.

La **melanina** es el pigmento que nos aporta el color de la piel, del iris de los ojos y del pelo y que nos protege de las radiaciones solares.

Dermis

Se encuentra entre la hipodermis y la epidermis en ella se localizan células, fibras, vasos sanguíneos, los receptores del sentido del tacto, nervios… es el tejido de sostén de la piel y sobre ella se asientan la epidermis y sus anejos.

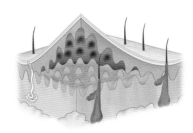

En la unión con la epidermis, la dermis se extiende formando las **papilas dérmicas,** que son como dedos que se introducen en la epidermis. En las papilas se localizan los capilares sanguíneos que aportan los nutrientes y el oxígeno a las células basales de la epidermis.

Hipodermis

Está formada por adipocitos, responsables de la acumulación de la grasa corporal.

Adipocitos: son las células principales de la hipodermis y las responsables de la acumulación de la grasa corporal.

Pon en práctica

1. Con ayuda de libros, Internet y de tu profesor averigua la diferencia entre la descamación de la piel de los humanos y el cambio de piel de las serpientes.

2. Observa la imagen e indica sobre ella las capas que hay en la piel.

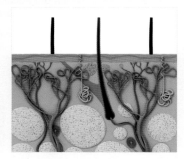

a) ¿Crees que la dermis y la hipodermis están bien diferenciadas?

b) ¿Cuál es el contenido principal de la hipodermis?

c) Dependiendo de los hábitos de alimentación de cada persona, ¿cómo crees que puede aumentar su grosor?

1.1. FUNCIONES DE LA PIEL

La piel no es una simple envoltura que separa y protege nuestro organismo del exterior, sino que también permite al ser humano relacionarse con el medio. Además de esta función, la piel posee otras de gran importancia para nuestra supervivencia. Entre ellas:

► Protección frente a golpes, radiaciones solares y gérmenes patógenos.

► Relación: en la piel radica el sentido del tacto, presión, suavidad, y la percepción del dolor.

► Termorregulación: mantiene una temperatura constante.

► Secreción a través de las glándulas sebáceas y sudoríparas.

► Síntesis de la vitamina D por la radiación ultravioleta necesaria para la absorción del calcio.

1.2. EL CUERO CABELLUDO

El cuero cabelludo es la piel que recubre la cabeza, donde crecen los cabellos. Se diferencia de la piel de otras zonas en que tiene mayor cantidad de pelos y glándulas, su implantación es más profunda y tiene gran cantidad de vasos sanguíneos que nutren y oxigenan la piel y el cabello.

Para tener un cabello sano, es imprescindible un cuero cabelludo equilibrado y una buena alimentación.

Pon en práctica

3. ¿Qué crees que pasaría si el ser humano no tuviese piel?

4. La piel desempeña una función protectora, pero ¿cómo debemos protegerla para que siga cumpliendo sus funciones?

5. ¿Crees que necesita más cuidados un cuero cabelludo que carece de cabello?

6. Indica el tipo de función de la piel que representan los siguientes iconos.

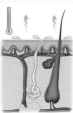

2. EL PELO

El pelo es un filamento cilíndrico, de naturaleza córnea, que nace y crece entre los poros de la piel de casi todos los mamíferos.

2.1. ESTRUCTURA

El pelo se puede dividir en la parte no visible o raíz, que está rodeada por el folículo piloso y la parte visible o tallo.

▶ Raíz: se encuentra en la profundidad de la piel, regeneradora del pelo y está rodeada por el folículo piloso. La parte más profunda se llama bulbo, por su forma de cebolla. Está formado por células vivas. También en el bulbo se encuentran los melanocitos, los pigmentos que dan color al pelo. Recibe los nutrientes de la papila dérmica, situada debajo del *bulbo*.

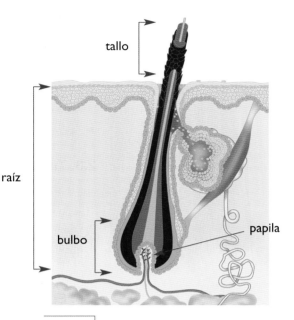

▶ Tallo: si damos un corte al pelo, vemos que se divide en tres capas:

Médula: está situada en el centro del pelo, aunque algunos carecen de ella.

Córtex: es la capa intermedia y muy importante en nuestra profesión; en su interior se encuentra la melanina, donde se producen los cambios de color y la queratina capilar con los puentes o enlaces tan importantes para los cambios de forma.

Cutícula: es la parte exterior, rodea al córtex y la tocamos. Está formada por células duras pero flexibles; es transparente y sin pigmento, que deja ver el córtex. La peculiaridad de esta capa es la posición de sus células, están imbricadas o superpuestas entre sí, como las tejas de un tejado o las escamas de un pez. Cuando la cutícula está deteriorada, el pelo no tiene brillo, pues la luz se refleja de manera irregular, decimos entonces que el cabello es poroso.

Pon en práctica

7. Indica qué es y si forma parte del tallo o de la raíz del pelo.

a) córtex
b) folículo piloso
c) bulbo
d) médula
e) papila dérmica
f) cutícula

8. Realiza, a mano alzada, el dibujo de un pelo y señala en él las partes de la raíz y el tallo que has estudiado.

2.2. FUNCIONES DEL PELO

Entre las funciones que tiene el pelo, hay que destacar las siguientes:

▶ Protección: no está tan clara como en la piel, pero protege la zona donde se localizan, como las pestañas, que evitan la entrada de sustancias en los ojos o las cejas y vello corporal, que favorecen el deslizamiento del sudor.

▶ Belleza y bienestar: cuidar el estado del pelo ayuda a sentirse mejor.

2.3. TIPOS DE DEL PELO

Según su longitud y flexibilidad, el pelo puede ser:

- Largo y flexible: es el propio cabello.

- Corto y rígido: cejas y pestañas.

- Corto y de flexibilidad variable: vello corporal.

2.4. EL CICLO PILOSO

Cada folículo piloso posee su propio ciclo, independientemente de los que hay a su alrededor. Estos tienen fases alternas de actividad y reposo.

2. Fase catágena

Es la fase de reposo. El pelo es maduro y comienza a degenerarse, el bulbo se contrae y se separa de la matriz. Dura de una a dos semanas.

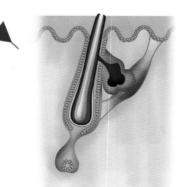

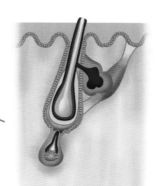

1. Fase anágena

Es la fase de formación del pelo, a partir de las células matrices. Dura de dos a siete años.

3. Fase telógena

Es la fase de caída, la papila se atrofia y el cabello se cae. Dura de dos a cuatro meses.

Pon en práctica

9. Debatid sobre las funciones que tiene el pelo.

a) Si es protector, ¿por qué, en ocasiones, lo eliminamos?

b) ¿Cuál es su función estética?

c) ¿Qué podemos hacer para que esté sano?

3. EL CABELLO

El cabello es el pelo que nace la cabeza. Presenta algunas características diferentes, al estar implantado en el cuero cabelludo: la profundidad de implantación es mayor, hay más cantidad que en otras zonas, la longitud y la velocidad de crecimiento son mayores.

3.1. TIPOS DE CABELLO

Hay muchos tipos de cabello, podemos clasificarlos de la siguiente manera:

▶ Color: depende de la melanina. Hay cabellos **albinos, rubios, pelirrojos, castaños** y **negros.**

▶ Forma: atendiendo a la forma que tiene el tallo capilar pueden ser **redondos, ovales** y **reniformes**:

 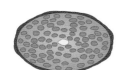 

Redonda: el cabello presenta un aspecto tieso, liso y lacio.

Oval: el cabello presenta un aspecto ondulado o rizado.

Reniforme: el cabello presenta un aspecto lanoso o ensortijado.

▶ Grosor: depende del **diámetro** del cabello. Hay cabellos más gruesos y otros más finos.

Fino: diámetro pequeño y aspecto brillante.

Normal: un diámetro medianoy aspecto más voluminoso.

Grueso: mayor diámetro, cuerpo y volumen.

▶ Emulsión epicutánea: el pelo **seco, graso, normal o mixto** depende de la emulsión epicutánea.

TIPO	ASPECTO	COMPOSICIÓN
SECO	▶ Mate y quebadrizo.	▶ Más cantidad de agua que sebo.
GRASO	▶ Brillante y pegajoso.	▶ Más cantidad de sebo que agua.
NORMAL	▶ Normal.	▶ Equilibrado.
MIXTO	▶ Apagado.	▶ Más graso en la raíz y puntas secas.

Implantación en la piel del cabello

La profundidad de implantación del cabello es mayor que la del pelo, como se observa en estas imágenes al microscopio.

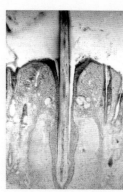

Cabello

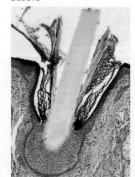

Pelo

La emulsión epicutánea

Es la mezcla de sebo; sudor y células descamadas que recubren la superficie cutánea y el pelo.

¿Qué es el pH?

El pH es la medida de acidez alcalinidaz de una disolución. La escala de pH va de 0 a 14. Se considera ácido el pH < 7, el pH = 7 es neutro y un pH > 7 es alcalino.

3.2. PROPIEDADES

El cabello presenta unas propiedades físicas y químicas.

Propiedades físicas

▶ Resistencia: tiene gran capacidad de aguantar tracción.

▶ Elasticidad: cuando aplicamos una fuerza, varia de diámetro, longitud y forma, cuando esta cesa, recupera su forma inicial.

▶ Potencial electrostático: el pelo, al frotarlo con un objeto, se electriza.

Propiedades químicas

▶ Permeabilidad: capacidad de absorber líquidos, en peluquería se llama porosidad.

▶ pH o potencial de hidrógeno: tanto la piel como el cabello tienen un pH ácido.

3.3. COMPOSICIÓN DEL CABELLO

El compuesto químico más abundante es la queratina, proteína rica en azufre que está formada por aminoácidos, en ella se forman unas cadenas que se unen mediante enlaces o puentes.

Conocer los puentes y enlaces es importante para entender y comprender los cambios de forma tanto temporal como permanente.

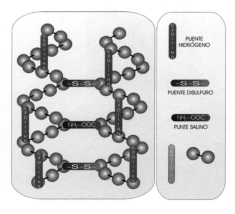

Las cadenas de queratina están formadas por aminoácidos que se unen unos a otros mediante enlaces peptídicos.

ENLACE	CARACTERÍSTICAS
▶ Puentes de hidrógeno	▶ Son poco resistentes, se rompen con facilidad cuando se moja el cabello, se aplica calor o se estira. **Son los puentes que se rompen en los cambios de forma temporales.**
▶ Puentes disulfuro	▶ Se forman entre los azufres de la queratina, para romperlos necesitamos productos reductores y para unirlos productos oxidantes. **Son los que se rompen en los cambios de forma permanente.**
▶ Enlaces iónicos o puentes salinos	▶ Se forman entre las cargas eléctricas de los aminoácidos. **Se rompen con facilidad con el calor y cambios de pH.**
▶ Enlaces peptídicos	▶ Son unos enlaces fundamentales, porque se unen los aminoácidos de la cadena principal. **Son muy resistentes y difíciles de romper.**

Pon en práctica

10. ¿Por qué hay personas con el cabello rizado y otras lo tienen liso?, ¿por qué es posible que los miembros de una familia tengan el cabello de diferentes colores?

11. Observa el cabello de los dos compañeros o compañeras que tengas más cerca e indica cuál es su forma y color.

12. ¿Cómo se llaman las células que sintetizan la melanina? ¿Dónde se encuentran? ¿Qué función tiene?

1.1 FORMAS DE LA QUERATINA

La estructura de la queratina se puede modificar, esto repercute en la forma final del cabello.

Las cadenas de queratina pueden adoptar dos formas, para denominarlas se utilizan los nombres alfa y beta, que son los nombres de las dos primeras letras del alfabeto griego.

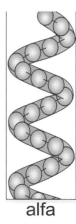

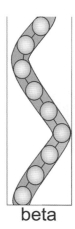

alfa

beta

▶ **Alfa- queratina**: Las cadenas de queratina tienen esta forma en hélice, cuando el cabello está en reposo, y no lo estamos modificando ni manipulando con ninguna técnica.

▶ **Beta-queratina**: Las cadenas de queratina están desplegadas, no forman hélices. Esta posición la adoptan cuando sobre el cabello se ejercen estiramientos, ya sea con el cepillado, al humedecerlo, peinarlo, al estirarlo con moldes, los puentes de hidrógeno, que son débiles, se rompen y la hélice se despliega.

Una vez cesan las fuerzas que despliegan la cadena, los puentes de hidrógeno vuelven a establecerse, en la misma o distinta posición, adoptando de nuevo la forma de alfa-queratina.

Hay que resaltar que estas modificaciones suceden sin que esto suponga una alteración en fibra capilar y los cambios de forma temporal se fundamentan en esta propiedad de transformación estructural de la queratina.

2. TRANSFORMACIÓN TEMPORAL DEL CABELLO

La transformación del cabello en los cambios de forma temporal se debe a dos propiedades, la porosidad y la elasticidad.

Porosidad

La porosidad o permeabilidad del cabello es la capacidad de absorber líquidos Esta es una propiedad muy importante, Cuando la cutícula del cabello está dañada y deja "huecos" sin cerrar, el córtex está desprotegido y la penetración de sustancias es muy rápida, pero también la salida de las mismas.

Elasticidad

La elasticidad es la propiedad que se manifiesta al aplicar una fuerza que estira el cabello y provoca una variación de su diámetro, longitud y forma, volviendo a recuperar su forma inicial al cesar el estiramiento. En este proceso se rompen los puentes de hidrógeno y el cabello se alarga.

Pon en práctica

1. ¿En cuál de estos dos casos crees que el cabello es más elástico? Razona la respuesta.

2.1 FUNDAMENTOS

Para poder modificar la forma del cabello, tenemos que conocer los efectos del calor, la humedad y el estiramiento mecánico sobre la fibra capilar.

Calor

Lo realizan diferentes aparatos que aporten calor, como planchas, tenacillas o los rulos calientes.
El cabello debe estar seco, al dar calor los puentes de hidrógeno se rompen y adoptan la nueva forma aplicada.

Humedad

El agua rompe los puentes de hidrógeno y facilita el cambio de forma.

Cuando una persona con el cabello liso, se lo riza, poco a poco los rizos van recuperando su forma natural, es decir, el cabello se va alisando.
Este proceso se acelera cuando el cabello se humedece, por ejemplo si el día está lluvioso o ligeramente húmedo.

Estiramiento Mecánico

Se combina con el calor y/o la humedad para que el cambio dure más tiempo.

Independientemente estos tres métodos pueden cambiar la forma del cabello pero al combinarlos se obtiene mayor fijación.

Puentes de Hidrógeno

Los enlaces más importantes en los cambios de forma temporal son los de hidrógeno, se rompen y reconstruyen sin que se dañe la fibra capilar.

Estado inicial.

Ruptura de puente al estirar o mojar el cabello.

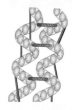

Reconstrucción al cesar el estiramiento.

3. COSMÉTICOS

Los cosméticos son productos destinados a aplicarlos sobre la parte externa de la piel o el cabello con distintas finalidades: limpiar, perfumar y proteger para mantener su buen estado, modificar el aspecto o corregir olores corporales.

En relación con los cambios de forma del cabello existen una gran variedad de cosméticos que se pueden clasificar en:

Cosmético para antes

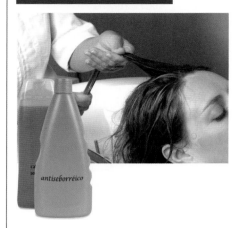

Cosméticos para antes del cambio de forma temporal

Para conseguir un cambio de forma temporal de calidad, tenemos que realizar un buen lavado de cabeza, un buen aclarado y un buen acondicionado.

En la elección del champú debemos tener en cuenta el tipo de cabello, sus características y el cambio que vamos a realizar.

Una vez lavado y tras un buen aclarado observamos el cabello y si es necesario lo acondicionamos. Para eso debemos tener en cuenta su forma cosmética (gel, crema, emulsiones, fluidos, bálsamos...) pero lo más importante es saber si se aclara o no. Por eso antes de aplicar cualquier cosmético debemos leer las indicaciones de uso y saber cual es el más adecuado a cada tipo de cabello.

Cosmético para el cambio

Cosméticos para el cambio de forma temporal

Se utilizan después del lavado y no se aclaran. Se deben repartir uniformemente por todas las zonas de la cabeza, frontal, laterales, coronilla, nuca y de raíces a puntas. Nos ayudan a que el cambio de forma perdure en el tiempo, facilitando el peinado, o protegiéndolo de la humedad o de los aparatos que producen calor. Los más usuales son: soluciones en ampollas monodosis (*plis*), geles (para facilitar el alisado o el peinado), reestructurantes, espumas.

Cosmético para después

Cosméticos para después del cambio de forma temporal

Se utilizan después de realizar el cambio de forma sobre el cabello seco. También se llaman productos de acabado, porque dan un toque final personal a cada peinado. Protegen de la humedad y pueden aportar fijación y textura al cabello. Los más usuales son: lacas, gominas, ceras...

4. PRELIMINARES A LOS CAMBIOS DE FORMA TEMPORALES EN EL CABELLO

Antes de realizar los cambios de forma tenemos que tener en cuenta la materia prima con la que vamos a trabajar, que medios tenemos para conseguirlo y como no el resultado que queremos conseguir. Por eso debemos desenredar bien el cabello, observarlo y escuchar las demandas del cliente.

¿QUÉ QUIERO?

Demandas y necesidades del cliente. Lo primero es saber exactamente qué nos está pidiendo nuestro cliente o superior y tener muy claro qué hacer y como hacerlo: orden adecuado, particiones, preparación del cabello…

¿QUÉ TENGO?

Estudio del cuero cabelludo y cabello. Observar el estado del cuero cabelludo, comprobar si existe alguna alteración: pitiriasis, seborrea, pediculosis, pequeñas heridas y conocer las características del cabello, grosor, porosidad, longitud, para elegir el cosmético y técnica más adecuada.

¿QUÉ NECESITO?

Adecuar la técnica al peinado que se desee conseguir, marcado con rulos, anillas, secador de mano, toga... Hay que tener también en cuenta el tamaño del molde, cuanto mayor es su diámetro el cabello quedará más liso y con más volumen, y cuanto más pequeño el cabello se rizará más y tendrá un volumen menor.

Pon en práctica

2. Pide a tu profesor que te enseñe los productos de cambios de forma temporal que hay en el taller y clasifícalos según estos apartados:

- Antes del cambio.
- Para el cambio.
- Después del cambio.

4.1. PREPARACIÓN DEL PROCESO

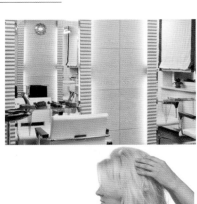

Preparación del equipo

Es fundamental el orden y la limpieza en un salón de peluquería. En los carritos y mesas auxiliares tendremos nuestro material perfectamente limpio colocado y ordenado, para que cualquier trabajo se realice de inmediato y no perder el tiempo en limpiar los pelos del cepillo o buscar el material necesario para la realización de la tarea.

Protección del cliente

Debemos trabajar teniendo en cuenta los posibles riesgos y tomar las medidas necesarias para prevenirlos y evitar accidentes Al cliente debemos protegerlo con batas, capas, toallas, algodón… de acuerdo al servicio que se vaya a realizar.

Protección del profesional

Los profesionales, además de cuidar nuestro aspecto, tendremos también que protegernos con la bata o uniforme adecuado y si es preciso, al aplicar determinados cosméticos como espuma, *plis* o laca de color, ponernos guantes.

Preparación de los cosméticos

Bajo la supervisión del peluquero, aplicamos los diferentes cosméticos para el cambio de forma temporal. Debemos tener en cuenta la forma cosmética, más adecuada y que esté bien repartido por todo el cabello (frontal, patillas, coronilla y nuca de raíz a puntas).
La cantidad de producto debe ser la suficiente y adecuada al tipo de cabello.

Preparación del cabello

Siempre vamos a trabajar sobre cabello recién lavado En el marcado de rulos, anillas, toga, secador de mano trabajaremos sobre el cabello húmedo.
Para los cambios de forma que requieran calor (plancha, tenacillas, rulos calientes) lo realizaremos sobre cabello limpio y totalmente seco.

Recuerda

▶ Los enlaces o puentes de la queratina son: peptídico, disulfuro, iónico y los más importantes para el cambio de forma temporal, los puentes de hidrógeno.

▶ La queratina puede adoptar dos formas: alfa queratina y beta-queratina.

▶ Para modificar un cabello, tenemos que conocer los fundamentos y mecanismos del cambio de forma temporal: calor, humedad y/o estiramiento mecánico.

▶ Los cosméticos limpian, perfuman y protegen para mantener la piel y el pelo en buen estado, modificar el aspecto o corregir olores corporales.

▶ Antes de aplicar cualquier cosmético capilar debemos leer las indicaciones de uso para saber cuál es el más adecuado a cada tipo de cabello.

▶ Para realizar un cambio de forma lo primero que tenemos que hacer es desenredar bien el cabello, observarlo y escuchar las demandas del cliente y entenderlas. Nunca podemos empezar un trabajo con dudas.

▶ Siempre trabajaremos sobre cabello limpio, antes de realizar un cambio de forma temporal lavaremos la cabeza y aclararemos bien, para conseguir un resultado de calidad.

▶ El proceso comienza por preparar al cliente, los cosméticos, los materiales, y la protección profesional antes de empezar el trabajo.

Actividades

1 ¿Recuerdas el nombre de los puentes de las cadenas queratínicas? Indica el que corresponda a cada definición:

Es un enlace fundamental, porque se unen los aminoácidos de la cadena principal. Son muy resistentes y difíciles de romper.

Son poco resistentes, se rompen con facilidad cuando se moja el cabello, se aplica calor o se estira.

Se rompen con facilidad ya que unen aminoácidos con diferente carga eléctrica.

Para romperlos necesitamos productos reductores y para unirlos productos oxidantes. Son los que se rompen en los cambios de forma permanente.

2 ¿Crees que para realizar un cambio de forma temporal se utiliza la misma cantidad de cosmético en espuma en un cabello corto que en uno largo? Razona tu respuesta.

3 Explica con tus palabras las diferencias entre alfa- queratina y beta-queratina

4 Señala si las siguentes frases son verdaderas o falsas y justifica tu respuesta.

ⓥ f Los cosméticos para antes del cambio de forma se aclaran.

ⓥ f Los cosméticos durante del cambio de forma no se aclaran.

ⓥ f Los cosméticos para después del cambio de forma se aclaran.

5 ¿Cuáles son los fundamentos de los mecanismos que se tienen en cuenta en la rotura de los puentes de hidrógeno?

5 Cambios de forma con moldes

TEMA

" La estética del pelo rizado
es más informal y da una apariencia más
juvenil y desenfadada. El pelo suelto
apunta a esta imagen de informalidad,
y el lenguaje lo recoge: "soltarse el pelo",
significa liberarse.

1. MARCADO CON MOLDES

El marcado con moldes consiste en enrollar el cabello en un molde o rulo, para que se ondule o rice, aportando volumen.

Antes de realizar el montaje, debemos saber qué queremos conseguir, y pensar en el resultado que obtendremos una vez seco.

Hay que tener en cuenta:

Características y tipo de cabello

▶ Por ejemplo, en cabello fino y liso se obtendrá un resultado diferente que en uno rizado y grueso.

Tamaño del molde

▶ A mayor diámetro, mayor volumen y menor rizo del cabello.

▶ A menor diámetro, menor volumen y más rizo del cabello.

Inclinación del molde

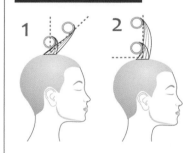

Inclinación del molde respecto al cuero cabelludo:

▶ El enrollado con la base del molde sobre la raíz, (1) crea mayor volumen.

▶ Que si se desplaza de la base (2).

Tamaño del molde

▶ De acuerdo al montaje, diámetro y dirección en la que envolvamos el cabello en el rulo se obtendrán distintas direcciones y efectos del peinado.

1.1. TIPOS DE MONTAJES

Hay diferentes tipos de montaje, los más habituales son el tradicional, el romántico, con raya en medio, con raya al lado, sin raya y marcado mixto:

▶ Clásico: también llamado marcado tradicional, todo el cabello va dirigido hacia atrás.

▶ Sin raya hacia detrás: tiene pequeñas variaciones respecto al tradicional, siendo muy parecida la colocación de los rulos.

▶ Raya en medio: se realiza una raya central, colocando los rulos aportando volumen.

▶ De lado con raya: se realiza una raya en un lado, (normalmente el izquierdo, aunque siempre debemos preguntar a nuestro cliente donde la desea), colocamos los rulos aportando volumen.

▶ De lado sin raya: se realiza dirigiendo el cabello hacia un lado (el decidido por nuestro cliente) pero sin que se abra con una raya.

▶ Mixto: Es un marcado "especial" porque combina dos técnicas, los rulos con las sortijillas. (este marcado se explica en el siguiente tema).

Pon en práctica

1. Monta un rulo formando un ángulo recto respecto a la raíz y otro inclinándolo hacia atrás y comprueba el efecto final en cada caso.

- Moldes (rulos). Para dar la forma deseada al cabello (marcado).

- Pinzas o picas. Para sujetar los moldes y el cabello.

- Peine de púa. Separar mechas y peinar el cabello

- Peine de cardar y colocar. Para cardar y colocar el peinado.

- Cepillo base de goma. Nos ayuda a realizar el peinado una vez seco el cabello.

- Redecilla. Para cubrir el marcado de rulos en el secador.

- Pulverizador. Para humedecer el cabello.

- Secador de casco. Para reducir el tiempo de secado.

- Peinador. Para proteger al cliente.

- Toallas. Para secar el cabello y proteger al cliente.

- Bata. Para proteger al profesional.

 En todo este proceso no se soltará el peine de púa en ningún momento.

¿cómo lo hago?

Una vez seleccionados los útiles necesarios, comenzamos el montaje con el cabello limpio y húmedo por la zona frontal. Separamos una mecha limpia y con los bordes regulares, y forma rectangular, del mismo tamaño que el molde, (tanto de ancho como de largo) que llamamos base y sobre ella se apoyará el rulo.
Peinamos la mecha seleccionada de raíz a puntas teniendo en cuenta la inclinación que lleva el cabello.

Colocamos el rulo sobre la base, lo subimos paralelo al cuero cabelludo mientras vamos tensando la mecha con cuidado de no tirar del cabello, cuando llegamos a la punta miramos si el cabello y el rulo están bien colocados y empezamos a enrollar con mucho cuidado de no doblar las puntas, nos podemos ayudar con la púa del peine.

Pon en práctica

2. Realiza un marcado de rulos clásico o tradicional en una muñeca.

¿cómo lo hago?

Cuando terminamos de enrollar, colocamos una pinza en la base del rulo sujetándolo por la raíz. Si en vez de pinzas utilizamos picas, debemos tener mucho cuidado para no clavar la punta en el cuero cabelludo.

Realizaremos el montaje en líneas horizontales de la zona superior a la inferior.

Los rulos siempre los colocaremos contrapeados como los ladrillos de una pared.

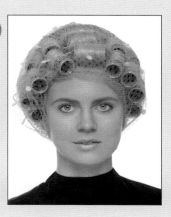

Verificamos la colocación de los rulos, pinzas o picas y ponemos la redecilla, teniendo en cuenta que todos los rulos deben quedar bien recogidos y no pueden modificar el peinado.

Pon en práctica

3. Realiza un marcado de rulos sin raya hacia atrás en una muñeca.

Posición incorrecta del secador.

Posición correcta del secador.

1.2 SECADO, PEINADO Y ACABADO

Secamos el cabello en el secador de casco adecuando la temperatura y el tiempo al tipo de cabello (cantidad, longitud, porosidad…).

En el tiempo de secado aprovechamos para hacer otra tarea y preparamos el material para la realización del peinado.

Pasado el tiempo de secado, retiramos la redecilla con cuidado y comprobamos en varias zonas de la cabeza que el cabello está totalmente seco, si no está seco volveremos al secador; si está seco esperamos unos minutos a que se enfríe el cabello y retiramos el montaje, siempre de abajo a arriba (al contrario de cómo lo hemos montado) Cepillamos el cabello en todas las direcciones, moldeamos y definimos la forma.

Cardado: es una técnica que permite dar volumen y consistencia a un peinado o recogido. Sólo apuntamos pautas muy generales en su ejecución que requiere práctica y destreza para conseguir un acabado limpio y pulido del cabello:

▶ Separa una mecha rectangular de aproximadamente 6 cm por 2 cm teniendo en cuenta la dirección de peinado. Inclínala hacia delante (en la parte frontal, si es necesario, pide por favor a tu cliente que levante un poco la cabeza).

▶ Coloca el peine de cardar a unos 5 ó 6 cm de la raíz y peina el cabello con dirección de punta a raíz.

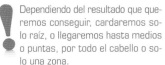

▶ Repite el proceso empezando cada vez un poco más separado de la raíz.

! Dependiendo del resultado que queremos conseguir, cardaremos solo raíz, o llegaremos hasta medios o puntas, por todo el cabello o solo una zona.

▶ Colocaremos el cabello con el mismo peine, con cuidado de no quitar el cardado y dejarlo muy pulido y ahuecado. Se suele utilizar laca en el acabado.

Antes de empezar la fase del peinado comprueba que el cabello esté totalmente seco.

Otras alternativas en el acabado

Esta es la técnica de colocación de un marcado de rulos para un cambio de forma temporal, sobre cabello húmedo. Pero el montaje se puede utilizar modificando los pasos en:

Reforzar con el secador una vez realizado el montaje, aportamos un poco de calor con el secador de mano o de casco (si es en el de casco no olvidar la redecilla) dejamos enfriar y retiramos los moldes, procedemos al peinado de forma habitual.

Dar forma sobre cabello seco (rulos calientes): con el cabello limpio y seco, realizamos el montaje deseado con los rulos calientes, con cuidado de no quemarte ni quemar al cliente. Se dejan enfriar y se retiran del cabello, Se coloca el cabello de forma deseada.

Pon en práctica

4. ¿Como tengo que colocar los rulos para conseguir un marcado con las patillas para atrás? Realízalo en una muñeca.

5. Realiza un marcado de rulos con raya en medio en una muñeca.

6. Realiza un marcado de rulos con raya al lado en una muñeca.

7. Realiza un marcado de rulos de lado sin raya en una muñeca.

Atención al cliente

Es muy importante que el cliente se sienta atendido en todo momento y al acomodarlo en el secador no debemos olvidar hacerle las siguientes preguntas:

▶ Si la posición y altura del secador le resulta cómoda.

▶ Si la temperatura es adecuada

▶ Si desea alguna revista.

▶ Es un valor añadido al servicio poderle ofrecer también un refresco, infusión, etcétera, si bien esto dependerá de la dirección y normas de cada salón.

1.3. A TENER EN CUENTA ANTES, DURANTE Y DESPUÉS DEL PROCESO

▶ Las características del cabello.

▶ El tipo de montaje más adecuado al peinado que se va realizar.

▶ Seleccionar el material (tamaño y tipo de molde, peines, cepillo…) necesario.

▶ Realizar las particiones limpias, regulares y ajustadas al tamaño del molde.

▶ Enrollado según inclinación y cuidado con las puntas, no se queden dobladas.

▶ Desenrollar cuando el cabello esté totalmente seco.

Pon en práctica

8. El marcado con rulos nos permite infinitas posibilidades y efectos finales de acuerdo al montaje, tamaño del molde, inclinación dirección, etc. ¿Cuál crees que puede ser el resultado final del montaje que muestra la fotografía?. Piensa en lo que pretendes conseguir antes del proceso y practica alguna alternativa diferente a las que se han explicado. Debate en clase el resultado obtenido argumentando tus ideas.

9. Observa estas dos imágenes. En una los moldes están bien y en otra mal. ¿Cuál es cada una? ¿Por qué? Comenta con tus compañeras las diferencias entre una u otra.

Recuerda

▶ El marcado de rulos lo usamos cuando queremos que el cabello se ondule o se rice, aportando volumen...

▶ Se pueden realizar diferentes montajes de rulos (tradicional, de lado con raya en medio…) aunque la técnica de realización es siempre la misma.

▶ Antes de empezar debemos preparar todo el material que vamos a utilizar.

▶ Debemos realizar las mechas limpias, regulares del tamaño del molde y tener mucho cuidado con las puntas.

▶ Los rulos se colocan en forma de ladrillo.

▶ Realizaremos el peinado cuando el cabello esté totalmente seco.

Actividades

1 Indica por su nombre técnico cada uno de los útiles que muestra la imagen:

1 ....
2 ....
3 ....
4 ....
5 ....
6 ....
7 ....
8 ....
9 ....
10 ....

2 Señala cuales de las siguientes afirmaciones son verdadera o falsas (explica por qué):

[v] [f] En el marcado de rulos podemos soltar el peine, para apretar mejor el cabello al molde.

[v] [f] Los rulos colocan en forma de ladrillo para evitar que se abran rayas.

[v] [f] En el marcado de rulos podemos dejar las puntas dobladas, luego se tapan con el resto del pelo y la clienta no se va a fijar en ellas.

[v] [f] En el marcado de rulos da igual como se coloquen los rulos por la parte de atrás, porque la clienta no se los ve.

6
TEMA

Cambios de forma con anillas y toga

❝❝ En los años 40 del siglo XX, durante la II Guerra Mundial, el moño se hizo común entre las mujeres que se incorporaron de forma masiva al trabajo en las fábricas.

1. MARCADO CON ANILLAS

Las anillas sirven para dar forma al cabello, sin ayudarnos de moldes, empleando solamente el peine y nuestros dedos. Con ellas se pueden realizar gran variedad de peinados, desde rizar, ahuecar, fijar un peinado, sustituir rulos o hacer las ondas clásicas.

1.1 TIPOS DE ANILLAS

Es muy importante que la línea de separación de la mecha esté perfectamente trazada.

Anillas	Efecto
Anillas de media raíz.	▶ Fija la misma forma de raíz a puntas. Es la utilizada tanto marcados mixtos como para conseguir un marcado de ondas clásicas.
Anillas de raíz.	▶ Fija una forma más marcada en la raíz que en las puntas.
Anillas de puntas.	▶ Fija una forma suave y natural. Nos ayuda en el acabado de secadores de mano con puntas rizadas.
Anillas huecas.	▶ Fija más volumen en la raíz.

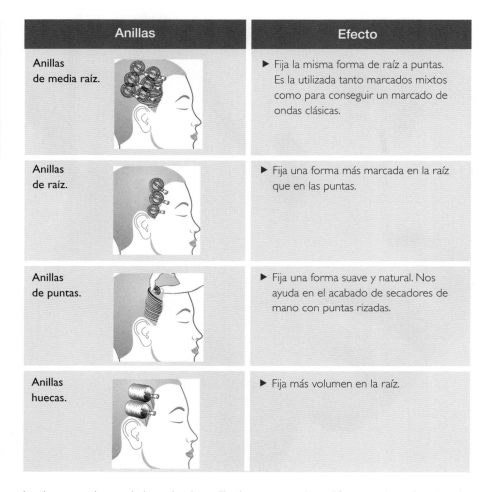

Igual que en el caso de los rulos, las anillas huecas permiten diferentes tipos de montaje:

▶ Marcado para atrás.

▶ Cásico o tradicional.

▶ Marcado con ondas.

▶ Marcado con raya en medio.

▶ Marcado de lado con raya.

▶ Marcado de lado sin raya.

Generalmente las anillas se utilizan en montajes mixtos, en los que se combinan los rulos y anillas.

Caracterización de Helen Mirren, en la película la Reina. El peinado, marcado con rulos y anillas es una reproducción fiel del que luce Isabel de Inglaterra.

Anillas huecas

Para realizar esta técnica tenemos que tener claro que el montaje es muy parecido a un marcado con rulos, con rulos, pero sin el rulo.

Por eso la inclinación del cabello, la separación de la mecha, la colocación de las puntas, etc. es tan importante como en el marcado.

¿cómo lo hago?

1 Separamos una mecha limpia, con los bordes regulares, y forma rectangular de unos 2 cm.

2 Elevamos el cabello y enrollamos la punta en el dedo índice, con cuidado de no retorcer la mecha y no doblar la punta.

3 Con ayuda de la púa del peine "escondemos" la punta y seguimos enrollando hasta la raíz.

4 Retira el dedo con cuidado de no deshacer la anilla.

3 Se coloca una pinza en la base, sujetando bien todo el cabello.

4

¿qué necesito?

- ▶ Pinzas. Para sujetar el cabello con la forma deseada.
- ▶ Peine de púa. Con él, realizamos particiones, separamos mechas y peinamos el cabello.
- ▶ Peine de cardar y colocar. Para ahuecar y acabar el peinado.
- ▶ Cepillo plano o de fuelle. Se emplea para cepillar el cabello una vez seco. Ayuda en la realización del peinado.
- ▶ Redecilla. Para cubrir el cabello cuando lo metemos en el secador.
- ▶ Pulverizador. Para humedecer el cabello.
- ▶ Secador de casco. Para reducir el tiempo de secado.
- ▶ Peinador. Para proteger al cliente.
- ▶ Toallas. Para secar el cabello y proteger al cliente.
- ▶ Bata. Para proteger al profesional.

Anillas de media raíz o sortijillas

Para la realización de la técnica ten en cuenta que la dirección de la anilla la marca la raíz en la base del cabello y puede ir hacia la derecha o hacia la izquierda.

Dependiendo de la dirección de la anilla, la realizaremos con una mano u otra. Si queremos que el cabello vaya a la derecha, realizaremos la anilla con la mano izquierda y si queremos que el cabello vaya para la izquierda realizaremos la anilla con la mano derecha.

¿cómo lo hago?

Separa una mecha limpia y con bordes regulares, de forma cuadrada de unos 2 cm. Péinala desde la raíz hasta las puntas, pegada a la base de la raíz, y dirigiéndola al lado contrario del sentido que quieres conseguir.

Coloca el dedo índice a 2 cm. de la base y enrolla el cabello alrededor del dedo, sin retorcerlo y muy plano. Ayúdate del dedo pulgar y corazón. No aprietes mucho porque cuando saques el dedo puedes deshacer la anilla.

Cuando llegues a la punta, escóndela en la anilla con la ayuda de la púa del peine y girando la muñeca encaja la anilla a la base.

Saca el dedo con cuidado para no deshacer la forma. y coloca la pinza deslizándola entre el cabello, nunca aplastando la anilla.

Cuando termines, verifica la colocación de las anillas y las pinzas y pon la redecilla con cuidado de no modificar el montaje.

Montaje para marcados mixtos:

Empezamos realizando un marcado de rulos en la dirección que deseemos, reservamos la zona de las patillas y ponemos otra fila de rulos.

En las patillas (hueso temporal) y nuca (hueso occipital) empezamos a hacer anillas de media raíz, la dirección de todas ellas será para atrás.

1.2. SECADO, PEINADO Y ACABADO

Secamos el cabello en el secador de casco adecuando la temperatura y el tiempo al tipo de cabello (cantidad, longitud, porosidad…).

En el tiempo de secado aprovechamos para hacer otra tarea y preparamos el material para la realización del peinado.

Pasado el tiempo de secado, retiramos la redecilla con cuidado y comprobamos en varias zonas de la cabeza que el cabello está totalmente seco, si no está seco volveremos al secador, si está seco esperamos unos minutos a que se enfríe el cabello y retiramos el montaje, siempre de abajo a arriba (al contrario de cómo lo hemos montado).

Cepillamos el cabello en todas las direcciones, moldeamos y definimos la forma.

1.3. A TENER EN CUENTA ANTES, DURANTE Y DESPUÉS DEL PROCESO

▸ Las características del cabello.

▸ El tipo de anilla de acuerdo al peinado.

▸ El tipo de montaje más adecuado para el peinado.

▸ Seleccionar el material necesario (peines, pinzas, pulverizador, cepillo…).

▸ Realizar unas particiones limpias, y regulares.

▸ Realizar el enrollado según la dirección y teniendo cuidado con las puntas, para que no se queden dobladas.

▸ Desenrollar sólo cuando el cabello esté totalmente seco.

Pon en práctica

1. Realiza un marcado de anillas huecas con raya al lado.

2. Realiza en una muñeca un marcado mixto con raya en medio.

3. ¿Con que mano realizaremos las sortijillas en el lado derecho? ¿Y en el lado izquierdo?

Anillas

Coloca las manos como en la imagen, mirando las palmas, señala en que sentido quieres que se dirija la raíz del cabello, la mano que te indique esa dirección es en la que debes enrollar el cabello para realizar las anillas.

2. TOGA

La toga es una técnica de marcado del cabello que consiste en enrollarlo cuando está mojado, peinándolo y estirándolo alrededor de la cabeza. Esta técnica comenzó a utilizarse en los años sesenta del siglo XX, nos permite alisar el cabello de una forma fácil.

¿cómo lo hago?

1 Con el cabello húmedo colocamos uno o dos rulos grandes en la zona de la coronilla. Se hace una raya al lado (derecho) y se peina el cabello hacía el lado izquierdo pasando por el frontal.

2 Realizamos otra raya más abajo y seguimos peinando de derecha a izquierda, enrollando el cabello sobre el cuero cabelludo. Según llegamos a las puntas colocamos una pinza de pato para sujetar el montaje. Repetimos el proceso tantas veces como sea necesario.

3 Cuando tenemos todo el cabello enrollado colocamos la redecilla y secaremos el pelo en el secador de casco durante la mitad del tiempo total que hayamos previsto. Una vez finalizado quitamos la redecilla y las pinzas y cepillamos el cabello.

4 Realizaremos el mismo montaje, pero en la otra dirección. Abrimos una raya en el lado izquierdo y peinamos estirando el cabello hacía la derecha pasando por el frontal.

5

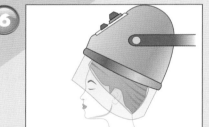

6 Colocamos las pinzas y redecilla y completamos el tiempo de secado. Cuando el cabello esté totalmente seco, esperamos a que se enfríe para retirar la redecilla y el rulo y cepillarlo en todas las direcciones, definiendo la forma del peinado.

2.1 A TENER EN CUENTA ANTES, DURANTE Y DESPUÉS DEL PROCESO.

▶ Cuanto más largo sea el cabello, mayor tamaño deben de tener los rulos de la coronilla. Su fin es ahuecar la raíz, no moldear.

▶ No podemos desplazar el cabello al colocar las pinzas porque dejarán marca.

▶ Cuando cambiamos el cabello de lado no puede estar seco, debe estar húmedo.

▶ La redecilla debe sujetar el cabello para mantener fijo el montaje de la toga.

Recuerda

▶ Las anillas se usan para realizar ondas clásicas y marcados mixtos.

▶ Se pueden realizar diferentes montajes (hacia atrás, al lado, al medio) aunque la técnica de realización es siempre la misma.

▶ Antes de empezar debemos preparar todo el material que vamos a utilizar.

▶ Debemos realizar las mechas limpias, regulares del tamaño adecuado y tener mucho cuidado con las puntas.

▶ Realizaremos el peinado cuando el cabello esté totalmente seco.

▶ La toga es una técnica de marcado del cabello que consiste en enrollarlo cuando está mojado, peinándolo y estirándolo alrededor de la cabeza.

Actividades

1 Encuentra en esta sopa de letras los materiales necesarios para la realización de un marcado con anillas. Después escribe para qué utilizas cada uno de ellos.

Q	W	E	R	W	E	P	U	I	O	P	A	S	P	D	F	W	E	R	T	Y
G	H	J	K	U	S	P	E	C	V	B	N	E	P	M	P	U	I	O	P	A
Q	N	M	R	U	R	I	E	I	Y	U	I	G	U	O	U	S	D	F	G	H
W	B	H	E	R	E	I	N	I	N	N	Y	G	L	G	L	J	K	B	Ñ	Z
E	V	Y	D	V	D	X	N	E	N	E	F	R	Y	Q	V	X	C	A	B	N
R	P	F	P	P	E	I	U	A	J	A	D	R	L	W	E	R	E	T	Q	M
T	I	D	I	Ñ	C	J	E	N	D	E	D	E	R	A	R	T	Y	A	I	O
F	N	S	N	G	I	C	V	B	O	O	P	O	P	Z	I	P	A	S	D	F
C	Z	E	Z	U	L	I	O	P	M	R	R	U	R	U	Z	G	H	J	K	L
X	A	R	A	C	L	C	E	P	I	L	L	O	P	L	A	N	O	Ñ	B	F
C	D	T	S	F	A	H	H	J	K	L	Ñ	P	D	W	D	E	R	F	G	V
P	E	I	N	E	D	E	C	A	R	D	A	R	Y	C	O	L	O	C	A	R
N	O	S	A	L	L	A	O	T	M	N	I	O	R	Y	R	Q	Q	S	A	D
H	S	E	C	A	D	O	R	D	E	C	A	S	C	O	U	E	A	S	F	G

2 Con qué tipo de anillas conseguimos estos resultados:

1. Fija una forma más marcada en la raíz que en las puntas.

2. Se emplea en los marcados mixtos y en la realización de marcados de ondas clásicas.

3. Fija una forma suave y natural.

3 Con ayuda de Internet, tu profesor, revista,… busca peinados con ondas y anillas.

7
TEMA

Cambios de forma con secador, tenacillas y planchas

" Las tribus urbanas utilizan el peinado para transmitir su mensaje.

1. SECADOR DE MANO: TÉCNICA DE *BRUSHING*

El cambio de forma temporal con secador de manos es uno de los servicios más demandados en el salón de peluquería. La técnica de *brushing* combina los tres mecanismos que proporcionan el cambio de forma temporal y ayudan a fijar y aumentar su duración: la humedad, el calor y el estiramiento mecánico.

1.1. TIPOS DE TÉCNICAS CON EL SECADOR DE MANO

El empleo del secador de mano es la técnica más rápida para marcar el cabello. Dependiendo del tipo y diámetro de los cepillos que se utilicen como molde y la técnica que se aplique, se pueden conseguir distintas formas, volúmenes y direcciones en el cabello: bucles, ondas, rizos, alisados, con las puntas hacia dentro, hacia fuera, rectas, etc.

Mediante el secador y el empleo de cepillos para moldear el cabello se realizan peinados muy naturales y variados: con bucles, ondulados, liso, etc. Si en lugar de boquilla, se utiliza el difusor podemos mantener el rizo propio del cabello, ya sea natural o conseguido mediante la ondulación permanente.

! Antes de empezar cualquier técnica hay que tener en cuenta las fases previas del proceso y preparar todo el equipo, acomodar y proteger al cliente y proceder al lavado y acondicionado del cabello.

1.2. PAUTAS GENERALES DEL PROCESO

Antes de comenzar el proceso se retira el exceso de humedad del cabello.

Se empieza con una velocidad y temperatura media en la zona de la nuca para continuar con una velocidad y temperatura máxima (tendremos especial cuidado en la zona de las patillas para no quemar las orejas). El aire del secador lo dirigiremos de raíz a puntas y separado unos centímetros del cabello para no dañarlo.

La cabeza es redonda, no plana, por eso, el profesional debe moverse alrededor de ella y no permanecer siempre en la misma situación.

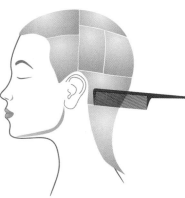

▶ Para comenzar el secado se organiza el cabello dividiéndolo en distintas zonas. Cuantas menos particiones se hagan y menos pinzas se ponga, se dará al cliente la sensación de mayor profesionalidad.

▶ La mecha de cabello que se trabaja no puede ser mayor al diámetro del cepillo, ni más ancha que la boquilla del secador.

▶ Se comienza el secado por la zona de la nuca y se continúa bajando y estirando el cabello según se va necesitando. Se cambia de mecha cuando la anterior está perfectamente seca y con la forma deseada.

▶ Siempre se trabajará con la boquilla del secador paralela a la piel, nunca perpendicular, para evitar quemaduras.

¿qué necesito?

Materiales:

- ▶ Secador de mano: acelera el proceso de secado mientras moldeamos el cabello. Se puede utilizar con boquilla o con difusor.
- ▶ Peine púa: para hacer particiones.
- ▶ Pinzas separadoras: para organizar los cabellos.
- ▶ Cepillos de diferentes diámetros.
- ▶ Peinador, para proteger la ropa de nuestro cliente.
- ▶ Toallas: tienen como finalidad secar el cabello.
- ▶ Bata: la emplea el profesional para cuidar su ropa.

! Para este trabajo se utiliza un cepillo redondo con el diámetro adecuado a la longitud del cabello.

Técnicas de aplicación del secador de mano

Una vez lavado y acondicionado el cabello, se retira el exceso de humedad, se desenreda y se procede al secado.

Cabellos largos: puntas rectas

¿cómo lo hago?

1 Se realizan las particiones y se comienza a secar por la zona de la nuca.

2 Cuando la raíz tiene la forma deseada, se va bajando el secador y el cepillo para trabajar medios.

3

Una vez finalizado el secado en raíces y medios, se continúa en las puntas.
Dependiendo del acabado que se desee conseguir puntas, rectas, hacia fuera o hacia dentro- se variará la colocación del cepillo y el secador.

Cabellos largos: puntas para fuera

¿cómo lo hago?

Para peinar el cabello con las puntas hacia fuera, trabajamos las raíces y los medios del mismo modo que en el caso anterior.

Para trabajar las puntas, colocamos el cepillo redondo en la parte exterior de la mecha que estemos manejando.

Enrollamos el cabello hacia el exterior, teniendo en cuenta las pautas generales del proceso: dirección del aire, temperatura, velocidad del secador y, por supuesto, el diámetro del cepillo que estará en función de la longitud del cabello y tamaño del rizo.

Cabellos largos: puntas para dentro

¿cómo lo hago?

Seguimos las mismas pautas que en los casos anteriores para trabajar raíces y medios. Al llegar a las puntas colocamos el cepillo redondo en la parte interior de la mecha que estamos manejando.

Enrollamos el cabello hacia el interior manteniendo las pautas generales del proceso dirección, temperatura, velocidad y diámetro del cepillo.

Pon en práctica

1. Dibuja como colocarías un cepillo si nuestro cliente quiere las patillas para atrás ¿Qué dirección llevará el cabello? ¿Dónde situarías el secador? Compruebalo también en la práctica.

Cabellos cortos

¿cómo lo hago?

El cepillo que utilizamos en este caso se ajustará a la longitud de los cabellos. Normalmente en la zona de nuca y patillas utilizamos un cepillo más pequeño que en el resto de la cabellera.

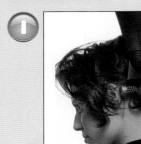

1 Se comienza por la nuca, trabajando las raíces y medios y teniendo en cuenta el volumen que deseamos dar al cabello. Es también importante las vueltas que se den al cepillo para conseguir un acabado pulido y brillante.

2 Cuando las raíces y los medios están trabajados, se realiza el mismo proceso desde medios a puntas.

3 Se van separando particiones y trabajándolas con las mismas pautas. Es muy importante saber lo que se desea conseguir y colocar el cepillo de la forma correcta, para evitar desviaciones.

4 Cuando se finaliza el secado, se coloca el cabello y se define la forma del peinado. Si es necesario, se aplicará un producto de acabado.

1.3. A TENER EN CUENTA ANTES, DURANTE Y DESPUÉS DEL PROCESO

▶ Las características, el estado y longitud del cabello.

▶ El tipo de peinado para adecuar el montaje de las mechas de pelo en la dirección apropiada y seleccionar el tamaño y tipo de cepillo.

▶ Realización de particiones limpias, regulares y ajustadas al efecto deseado.

▶ Seguir las pautas generales del proceso del *brushing*.

2. TENACILLAS

Para realizar un cambio de forma temporal, con tenacillas, el cabello tiene que estar limpio y seco y debemos ajustar el diámetro de estas al resultado que queremos conseguir.

2.1. TIPOS DE TÉCNICAS CON TENACILLAS

Con las tenacillas se pueden realizar diferentes técnicas.

▶ En cabellos cortos: marcados como los rulos, con los mismos montajes.

▶ En cabellos largos: hay varias técnicas en función del resultado que queremos conseguir: tirabuzones, rizos, ondas, bucles…

Aplicación de tenacillas para rizos en espiral.

Cabellos cortos

¿cómo lo hago?

Como en el marcado con rulos, se tendrá en cuenta la dirección y el diámetro (en este caso de la tenacilla).
Se hace una pasada rápida, de raíz a puntas, para calentar el cabello y con la ayuda del peine ayudamos a dar volumen a la raíz.

Se va resbalando la tenacilla a lo largo de la mecha enrollando el cabello a 1 cm de la raíz, sin llegar nunca a la piel que protegemos colocando entremedias el peine de corte.
Pasamos a las siguientes mechas. Dejamos enfriar y finalizamos pasando los dedos a través de los cabellos para ayudar a definir la dirección del peinado.

¿qué necesito?

▶ Tenacilla: la preparamos con tiempo suficiente para que cuando la utilicemos estén calientes y no tengamos que esperar.

▶ Peine de púa: nos ayuda a seleccionar la mecha, además nos sirve de protección de la piel frente a quemaduras.

▶ Pinzas separadoras: nos sujeta los cabellos que no utilizamos en ese momento.

Cabellos largos

Existen muchas técnicas para trabajar con la tenacilla en cabello largo, la que explicamos es la más habitual y sencilla.

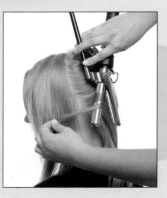

1 Envolvemos la mecha de unos de unos 3 cms –el tamaño dependerá de la longitud y rizo que deseemos dar al cabello–. Se abre la tenacilla, que sujetamos con el mango hacia arriba, y se comienza a enrollar desde la raíz.

2 Se va envolviendo todo el cabello sobre la parte maciza de la tenacilla hasta llegar casi a la punta.

3 Se cierra la tenacilla y se desliza hasta esconder la punta. manteniéndola cerrada durante unos segundos y enrollamos hasta la raíz.

4 Se abre cuidadosamente la tenacilla para dejar caer los rizos.

5 El resultado debe ser un rizo limpio y bien definido.
A continuación se van tomando mechas del otro lateral rizándolas hacia el lado contrario.

2.2 A TENER EN CUENTA ANTES, DURANTE Y DESPUÉS DEL PROCESO

▶ Características y estado del cabello.

▶ El cabello estará limpio y seco, sin restos de humedad.

▶ Controlar la temperatura y el tiempo de contacto de las tenacillas con el cabello para no dañarlo.

▶ Tener mucho cuidado de no quemar el cuero cabelludo de la clienta, ni nuestras manos.

3. PLANCHAS

Las planchas constan de dos placas que se calientan al enchufarse a la corriente eléctrica. Cuando vamos a realizar un trabajo con plancha nos tenemos que asegurar que el cabello está limpio y perfectamente seco.

3.1 TIPOS DE TÉCNICAS CON LA PLANCHA

Desde hace unos años, las planchas han evolucionado muy rápidamente y los fabricantes buscan las mejores características y materiales (de turmalina, basculantes, anchas, estrechas, etc.).para facilitar la actividad profesional.

Con las planchas se puede conseguir un cabello liso o con ondas, imprimir un zig-zag más o menos ancho, letras, formas… Nosotros vamos a aprender a hacer zig-zag y alisar.

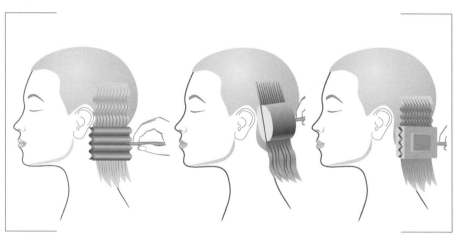

Zig-zag

Para imprimir una forma debemos abrir y cerrar la plancha constantemente.

Con ayuda de un peine de corte, se prensa el cabello comenzando por la raíz, pasados unos segundos abrimos las planchas desplazamos hacía los medios y volvemos a presionar, volvemos a dejar unos segundos continuamos con este proceso por toda la mecha hasta llegar a las puntas. Cuando termino, selecciono otra mecha y repito el proceso hasta finalizarlo.

Brushing alisado con planchas:

¿qué necesito?

▶ Plancha la preparamos con tiempo suficiente para que cuando la utilicemos estén calientes y no tengamos que esperar.

▶ Peine de corte (si el cabello está muy rizado se puede utilizar el escarpidor) nos ayuda a seleccionar la mecha y peinamos mientras pasamos la plancha.

▶ Pinzas separadoras. Nos sujeta los cabellos que no utilizamos en ese momento.

¿cómo lo hago?

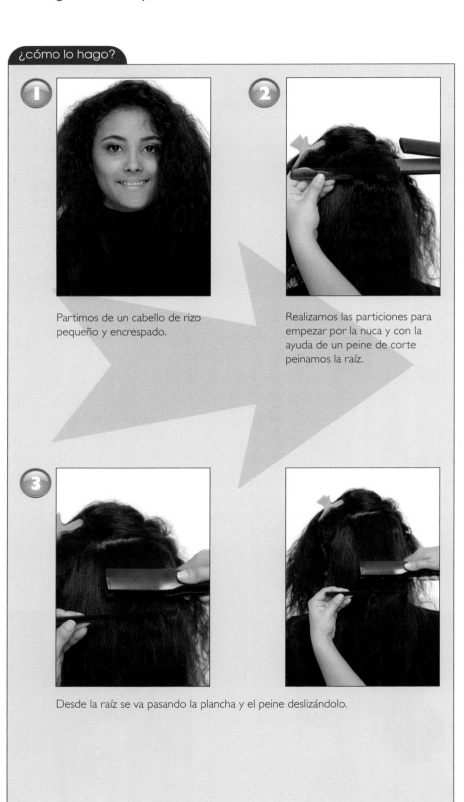

1 Partimos de un cabello de rizo pequeño y encrespado.

2 Realizamos las particiones para empezar por la nuca y con la ayuda de un peine de corte peinamos la raíz.

3 Desde la raíz se va pasando la plancha y el peine deslizándolo.

¿cómo lo hago?

Se va pasando la plancha y el peine deslizándolos al mismo tiempo hasta llegar a la punta sin soltar la mecha.

Al llegar a la punta, giramos suavemente la plancha (hacia dentro o hacia fuera, de acuerdo a el resultado que deseemos) para dar un poco de movimiento a las puntas y seguimos el mismo proceso por el resto de mechas.

Resultado final.

En tu trabajo...

En todos los procesos en los que se utilizan aparatos que producen calor, hay que tener especial cuidado en no acercarlos demasiado a la piel y producir una pequeña quemadura, por ello es importante practicar hasta conseguir manejarlos con destreza y seguridad.

3.2. A TENER EN CUENTA ANTES, DURANTE Y DESPUÉS DEL PROCESO

▶ Características y estado del cabello.

▶ El cabello ha de estar limpio y seco.

▶ Controlar la temperatura de la plancha y el tiempo de contacto con el cabello.

▶ Tener cuidado para no quemar el cuero cabelludo de la clienta, ni nuestras manos.

Pon en práctica

2. Realiza con el secador de mano el marcado de forma en cabello corto. Una vez terminado marca un lado de la cabeza con rulos y en el otro lado pasa las tenacillas (del mismo diámetro que los rulos).Cuando termines con las tenacillas retira los rulos y coloca el cabello. ¿Cómo lo ves? ¿Hay diferencia entre un lado y otro? ¿Con qué lado has tardado más? Debate con tus compañeros.

3. Observa la fotografía ¿qué técnica consideras mas idónea para realizar este acabado?. Prueba a reproducir algo similar y contrasta el resultado con el de tus compañeros.

4. Observa las transformaciones de la cantante Lady Gaga y debatid entre los compañeros la importancia y el significado del peinado en el cambio de la imagen como reflejo del estilo, personalidad y la propia actitud del individuo.

Recuerda

▶ El empleo del secador de mano es la técnica más rápida para marcar el cambio de forma del cabello. Dependiendo del tipo de cepillos que se utilicen como molde y la habilidad para manejarlos a la par que el secador, se pueden conseguir formas, rizadas, lisas e incluso tiesas.

▶ En los montajes de cambio de forma con secador de mano, tenacillas y planchas se debe tener muy en cuenta la realización de particiones que deben ser limpias, regulares y ajustadas al efecto deseado.

▶ Las tenacillas y las planchas debemos prepararlas con tiempo suficiente para que cuando las utilicemos estén calientes y no tengamos que esperar.

▶ Cuando vamos a realizar un trabajo con plancha o con tenacillas nos tenemos que asegurar que el cabello está limpio y perfectamente seco.

▶ Debemos observar las medidas de seguridad en la utilización de aparatos eléctricos cuando manejamos el secador, las tenacillas o las planchas, para evitar riesgos y no sufrir quemaduras.

Actividades

1 Di si son verdaderas o falsas las siguientes frases. Justifica tu respuesta.

☑ ☐ El aire del secador va de puntas a raíz para dar más brillo al cabello.

☑ ☐ El secador de mano se comienza por la nuca.

☑ ☐ La temperatura del secador siempre será la máxima para terminar antes.

☑ ☐ Doy profesionalidad y seguridad a mi cliente si pongo muchas pinzas en el cabello.

2 Escribe el procedimiento del alisado del cabello largo con secador de mano, secuenciando y numerando por su orden los pasos.

® Ordena la secuencia.

® Precalentamos la mecha.

® Coloco, modelo y defino la forma que quiero conseguir.

® Secamos el cabello.

® Lavamos el cabello.

® Coloco el peine de corte entre la tenacilla y el cuero cabelludo para no quemar a mi cliente.

® Peinamos antes de empezar a trabajar.

® Damos volumen.

® Paso los dedos a través de los cabello.

® Enrollamos hasta 1 cm antes de la base.

3 Para realizar un peinado con plancha, ¿sería correcto el orden de la secuencia de la pregunta anterior?

8
TEMA

Cambios de forma permanentes: fundamentos y precauciones

“ En muchas civilizaciones la longitud
y peinado, la forma del cabello,
no sólo representaba un símbolo estético,
sino también de orden, honor o libertad.

1. TRANSFORMACIÓN DEL CABELLO EN LOS CAMBIOS DE FORMA PERMANENTE

Lo primero que debemos conocer es que para cambiar la forma natural del cabello "permanentemente", no sólo modificamos su aspecto exterior, sino también su interior, en cualquiera de estos dos casos:

▶ Rizado: cambiamos la forma del cabello liso a rizado u ondulado.

▶ Alisado: en este caso es al revés, cambiamos la forma del cabello de rizado a liso.

Fundamentos

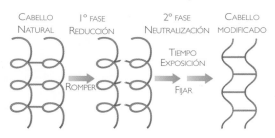

CABELLO NATURAL — 1° FASE REDUCCIÓN — 2° FASE NEUTRALIZACIÓN — CABELLO MODIFICADO

ROMPER — TIEMPO EXPOSICIÓN — FIJAR

¿Cuál es el fundamento?

▶ Primero reducción: deberemos romper alguno de los puentes de disulfuro —que son los que unen las cadenas laterales de la queratina—. Para romper estas uniones necesitamos la acción de productos químicos alcalinos, son los denominados **agentes reductores** (líquido de permanente), y damos una nueva forma al cabello.

▶ Segundo neutralización: para que el cambio sea permanente, debemos fijar la forma con los **agentes oxidantes** (líquido neutralizante), que favorecen la unión de nuevos puentes de disulfuro en una posición diferente a la que tenía antes de romperse.

Duración

¿Cuánto dura?

▶ El cabello permanecerá ondulado o liso a pesar de la humedad, el tiempo u otras operaciones de peluquería hasta que crezca con su forma original. La nueva forma desaparecerá sólo cuando se corta el cabello tratado.

1.1. Fases del proceso: reducción y oxidación

Para realizar un cambio de forma permanente en el cabello actuaremos en dos fases.

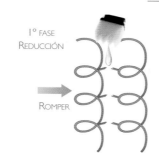

I° FASE
REDUCCIÓN

ROMPER

1ª Fase de reducción:

Es en esta fase cuando se rompen los puentes disulfuro, esto ocurre cuando el cabello entra en contacto con el líquido de permanente. El líquido reductor llega al córtex donde se encuentran las cadenas de queratina y allí rompe algunos puentes para modificar la estructura capilar.

El cambio de forma se consigue a medida que vamos enrollando el cabello en los moldes (bigudíes, bodys, etc.) para la ondulación, o estirando el cabello para el alisado. Las cadenas de queratina con los puentes rotos, se van colocando de forma distinta a la natural.

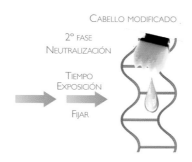

CABELLO MODIFICADO

2° FASE
NEUTRALIZACIÓN

TIEMPO
EXPOSICIÓN

FIJAR

2ª Fase de neutralización u oxidación:

Tras un periodo de tiempo, en el que ha actuado el líquido de permanente y el cabello se ha adaptado a los moldes o lo hemos alisado, hay que fijar la nueva forma; para conseguirlo pasaremos a neutralizar, es decir, a reconstituir los puentes que hemos roto en la 1ª fase de reducción.

Las nuevas uniones se realizan entre los enlaces que están más cerca entre sí.

El neutralizante líquido nos permite fijar la nueva forma del cabello, que hemos conseguido en la fase de reducción, y cerrar la cutícula del cabello.

2. COSMÉTICOS PARA LOS CAMBIOS DE FORMA PERMANENTES

Para entender el cambio de forma permanente en el cabello debemos conocer los componentes de los cosméticos que utilizamos en el proceso y cómo actúan en el cabello.

2.1 COSMÉTICOS PREONDULACIÓN.

Son los que utilizamos antes de realizar el cambio de forma permanente.

¿Cuándo se aplican los protectores capilares?

Antes del proceso de cambio de forma y cuando se vaya a realizar sobre un cabello poroso y frágil, (suelen ser cabellos teñidos, con mechas o con restos de permanente).
¿Cómo lo aplicaremos? sobre el cabello limpio en las zonas que lo necesite, de esta forma el tallo capilar queda protegido y preparado para el cambio de forma permanente.

▶ Elección del champú, para el proceso de lavado del cuero cabelludo y cabello utilizaremos un champú neutro o ligeramente alcalino para que no interfiera en el proceso de reducción.

▶ Protectores capilares, protegen el cabello de la agresión del líquido de permanente.

2.2 COSMÉTICOS REDUCTORES

Son productos que penetran a través de la cutícula del cabello y llegan al córtex donde se ponen en contacto con las cadenas de queratina para romper sus puentes o enlaces de disulfuro y así poder modificar la estructura capilar.

Tipos

Las casas comerciales indican los tipos de líquidos de permanente o de cremas desrizantes de diferentes formas, por números o por la inicial de los cabellos.

Difícil

▶ Mediante número:

0 Cabello difícil: destinado a cabellos con la cutícula en perfecto estado, son difíciles de rizar o alisar y no tienen el cabello teñido.

▶ Mediante la inicial:

R Cabello resistente.

Natural

▶ Mediante número:

1 Cabello natural: para cabellos con porosidad en toda su longitud, rizan o alisan relativamente fácil.

▶ Mediante la inicial:

N Cabello normal.

Teñido

▶ Mediante número:

2 Cabello teñido: destinado a cabellos poco resistentes (finos, naturales o con mechas).

▶ Mediante la inicial:

T Cabello teñido.

Deteriorado

▶ Mediante número:

3 Cabello decolorado o muy sensibilizado: para cabellos con alteraciones en su estructura capilar (cutícula muy deteriorada).

▶ Mediante la inicial:

D Cabello decolorado.

Composición

▶ Reductor: su función es romper los puentes de disulfuro. Los reductores más utilizados son los tioles, que son compuestos ricos en azufre que actúan sobre el pelo a un pH alcalino (9,3-9,5). El más utilizado es el ácido tioglicólico.

▶ Álcali: su función es aumentar la eficacia del reductor y facilitar la penetración del producto en el cabello, el más utilizado es el amoniaco que proporciona el ámbito alcalino.

▶ Excipiente: su función es dar la forma cosmética, para ondulaciones se emplea agua desionizada exenta de metales, porque suele ser un producto líquido. Para alisados se suele utilizar una preparación en crema.

▶ Aditivos: su función es facilitar la distribución y aplicación del producto.

Presentación

Para la ondulación la forma cosmética más utilizada es en líquido, en espuma, tiene el inconveniente de que no impregna bien el cabello, por lo que sólo se utiliza en algunas técnicas. En crema dificulta el enrollado y aclarado, sin embargo, es la más utilizada para el alisado porque facilita el estiramiento del cabello.

Conservación

Los productos reductores se guardarán en un lugar donde la temperatura, humedad y oscuridad sean adecuadas, es recomendable seguir las instrucciones de las casas comerciales. Evitaremos que el envase permanezca abierto sin necesidad para que el producto no pierda sus propiedades.

Pon en práctica

1. Si tenéis en el aula muñecas de pelo natural que se van a desechar, podéis con ayuda de tu profesor realizar un moldeado en una de ellas o en parte de una peluca vieja de pelo natural, aplicando los productos necesarios, y a la hora de neutralizar en una mitad no le apliques el neutralizante, ¿qué es lo que pasa?

2. Mira las siguientes imágenes y di qué tipo de líquido deberíamos utilizar en cada caso para realizar el cambio de forma permanente y explica por qué:

3. Busca en internet en distintas casas comerciales qué tipo de líquidos de permanente y cremas desrizantes ofrecen y cómo numeran los productos, con números o con letras.

2.3 Cosméticos neutralizantes

Son los encargados de unir de nuevo las cadenas laterales de queratina para fijar su nueva forma. Tanto para el proceso de ondulado como para el de alisado el producto es el mismo.

Tipos

Existen dos tipos de neutralizantes unos que ya vienen preparados para su uso y otros concentrados que hay que diluir con agua del grifo en el momento de su uso.

Composición

► Oxidante: fija la nueva forma reconstruyendo los puentes de disulfuro y recupera la elasticidad del cabello, el más utilizado es el agua oxigenada.

► Ácidos: restablece el pH del cabello y estabiliza el H_2O_2, los más utilizados son los ácidos acético, tartárico, cítrico y láctico.

► Excipiente: da forma al cosmético, se suele utilizar agua destilada.

► Aditivos: aportan suavidad y brillo al cabello, pueden ser humectantes que facilitan la penetración del producto, espumantes facilitan su eliminación, emolientes suavizan y dan brillo al cabello, opacificantes que aportan un aspecto blanquecino al producto, y perfumes que dan un olor más agradable.

Forma de presentación

La forma de presentación más utilizada es en líquido, en pastilla o en polvo que disolvemos con agua destilada en el momento de su empleo. Las espumas y cremas no se suelen usar porque dificultan la absorción en el cabello.

Conservación

Los productos oxidantes se guardarán lejos de la luz, que descompone el agua oxigenada, y lejos de focos de calor que alteran los productos. Evitaremos que el envase permanezca abierto sin necesidad para que el producto no pierda sus propiedades. Leeremos la etiqueta y los folletos que acompañan a los productos y seguiremos las instrucciones de manipulación y almacenamiento de las casas comerciales.

2.4 Cosméticos acondicionadores

Se utilizan después de realizar el cambio de forma permanente y como tratamiento para casa.

Son los encargados de conservar en buen estado la estructura capilar y el rizo o alisado conseguido, así como de aportar al cabello brillo y suavidad.
Son productos que carecen de alcohol para no resecar el cabello: mascarillas, espumas, *sprays*, etc.

Pon en práctica

4. Si hay disponible una muñeca o peluca de pelo natural para practicar, con ayuda del profesor realizaremos una permanente, en una mitad de la cabeza le aplicamos el líquido deseado y en la otra mitad otro con otra fuerza, neutralizamos y ¿qué es lo que pasa cuando acabamos el proceso?

5. Cuál es la función del neutralizante. Con ayuda de tu profesor y unas tiras de papel de pH, observa el color que adquiere cuando lo introduces en el líquido neutralizante, en el líquido reductor, en amoniaco, en ácido acético o vinagre. Mezcla un poco del neutralizante con el líquido reductor y mide con el pH. Compara los colores de las diferentes tiras y mira a que pH corresponde cada uno en la escala de pH.

6. Une con flechas.

Protector.   Durante el proceso.

Líquido neutralizante.   Después del proceso.

Mascarilla.   Antes del proceso.

3. PRECAUCIONES Y NORMAS DE SEGURIDAD

Los puntos más importantes son los siguientes:

▶ Cada cabello es distinto y necesita un tiempo de exposición y una concentración del cosmético diferente.

▶ No frotaremos el cuero cabelludo en exceso antes del cambio de forma y usaremos protectores siempre que el cabello lo necesite.

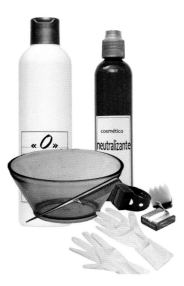

▶ Cuidado a la hora de enrollar y colocar la goma, el cabello debe de estar tenso pero no tirante, las puntas no pueden doblarse y la goma no debe de estar muy apretada porque dejará marcas o incluso puede llegar a partir el cabello.

▶ Se utilizaran siempre utensilios perfectamente limpios.

▶ Prepararemos todo lo que vayamos a utilizar durante el cambio de forma sobre un carro auxiliar para realizar el proceso en el menor tiempo posible y no perder el tiempo en buscar el material.

▶ Echaremos en un bol una pequeña cantidad del producto y en caso de necesitar más lo iremos rellenando, si sobrara nunca lo echaremos otra vez al bote porque puede alterar producto.

▶ No usaremos ningún útil metálico porque puede provocar reacciones no deseadas, el líquido toma un color violeta y el cabello también.

▶ No realizaremos trabajos de color el mismo día del cambio de forma, entre ambos procesos pasarán al menos tres días.

▶ No se debe realizar un cambio de forma permanente sobre otro anterior. En caso de repetir el proceso es conveniente cortar el cabello permanentado.

3.1. PRUEBA DE SENSIBILIDAD CUTÁNEA

En una piel fina, enrojecida y sensible se debe hacer una prueba de sensibilidad para detectar la posible irritación del cuero cabelludo en contacto con el cosmético. La prueba se realiza siguiendo estos pasos:

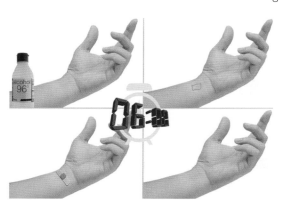

▶ Limpiamos la piel de la cara interna del brazo o de detrás de la oreja.

▶ Aplicamos el cosmético sobre dichas zonas.

▶ Tapamos con una tirita para que no se manche la ropa.

▶ Pasadas cuarenta y ocho horas comprobamos la reacción, si la piel está irritada la prueba es positiva y no se debe realizar el cambio de forma al cliente.

▶ También se puede realizar una prueba de sensibilidad en el cabello, cuando esté muy deteriorado. Se realiza sobre un mechón de la zona de la nuca , y una vez finalizado el proceso comprobaremos cual es su estado en cuanto a resistencia y elasticidad. Si el cabello está excesivamente dañado no realizaremos el cambio de forma permanente pues el resultado sería desastroso.

Pon en práctica

7. Lee los prospectos sobre las precauciones de utilización de los cosméticos para cambios de forma y si no es así escribe aquí las que vengan que sean diferentes.

8. Con ayuda de tu profesor realiza la prueba de sensibilidad a uno de tus compañeros que tenga la piel muy sensible, y escribe qué es lo que pasa a las cuarenta y ocho horas.

9. Tu profesor realizará la prueba de sensibilidad en un alumno o alumna que tenga el cabello muy dañado. Observa y anota: ¿qué es lo que ocurre? ¿cómo se queda el cabello? ¿le recomendarías hacerse el trabajo en todo el cabello?

Recuerda

▶ Los cambios de forma permanente se pueden realizar tanto para rizar como para alisar el cabello.

▶ Para conseguir un cambio de forma permanente debemos romper los puentes disulfuro.

▶ Existen dos fases dentro del proceso: 1° fase de reducción y 2° fase de neutralización.

▶ Los tipos de líquidos reductores para el cambio de forma permanente se clasifican:

   0 Cabello difícil.

   1 Cabello natural.

   2 Cabello teñido.

   3 Cabello decolorado o muy sensibilizado.

▶ En la fase de neutralización, el oxidante utilizado es el peróxido de hidrógeno en medio ácido.

▶ Tanto el cliente como el profesional deben estar protegidos durante el proceso.

▶ En pieles sensibles y en cabellos muy deteriorados debemos realizar una prueba de sensibilidad.

Actividades

① Busca en la sopa de letras los componentes del líquido de permanente. Una vez encontrados explica su función.

A	F	T	I	O	L	N	R	E
L	F	G	H	J	K	P	O	X
D	Q	W	E	R	T	Y	U	C
A	D	I	T	I	V	O	S	I
L	Z	X	C	V	B	N	M	P
C	A	S	R	F	T	G	Y	I
A	E	T	U	M	O	N	U	E
L	F	T	G	Y	H	U	J	N
I	C	F	E	V	Y	B	N	T
X	C	Z	V	E	B	U	M	E

② Cuál es la forma cosmética del reductor más utilizada en el proceso de:

   a) Ondulación, ... ¿por qué?

   b) Alisado, ... ¿por qué?

③ Busca imágenes en revistas de famosas a las que las recomendarías un cambio de forma permanente y explica:

   a) ¿Qué le harías una ondulación o un alisado?

   b) Di qué tipo de producto utilizarías, y por qué.

9 TEMA
Técnicas de cambios de forma permanentes

" La estética del cabello se ha hecho multicultural, se incorporan nuevas formas estéticas originariamente más propias de otras razas como el alisado japonés, el rizado de la raza negra o el rubio nórdico.

1. CAMBIOS DE FORMA PERMANENTES PARA RIZAR EL CABELLO

Existen infinidad de moldes y montajes para conseguir rizar el cabello, pero es importante que primero se adquieran destrezas en el denominado "montaje clásico" y a medida que se vaya adquiriendo la experiencia y habilidad necesaria se podrá dar rienda suelta a la creatividad y realizar trabajos más complejos e innovadores.

1.1. TIPOS DE MONTAJES

Llamamos montaje a la disposición del enrollado del cabello en los moldes (bigudíes) para conseguir un determinado rizo y dirección del cabello, y además del mencionado montaje clásico éstos pueden ser:

► Direccional. Este montaje se adapta a la dirección en la que va peinado, y según éste se enrollarán los bigudíes: hacia atrás, con raya al lado, raya en medio, etc. El grosor de los bigudíes dependerá de los volúmenes que queramos conseguir en el peinado final.

► Bodys. En este tipo de montaje se utilizan unos moldes de gomaespuma que que se llaman *bodys*, en su interior tienen un alambre para facilitar su sujeción sólo con doblarlos. Su montaje proporciona a los cabellos largos volumen y rizo natural, debido al grosor del molde en comparación a los bigudíes. Se realiza como un marcado de rulos.

Pautas generales del proceso

► Las separaciones de las mechas que vamos a enrollar, deben ser igual de anchas que el diámetro del molde y un poco menos larga, para que no se escape el cabello por los lados.

► Una vez hecha la separación totalmente recta, peinamos muy bien el cabello de raíz a puntas, elevándolo para que el resultado sea un rizo hueco y con volumen.

► Colocamos en la mecha un papelillo que debe tapar totalmente la punta de ésta y enrollamos con cuidado en el molde para que no se doblen las puntas.

► Una vez enrollado el bigudí se sujeta con la goma de un extremo al otro, sin que esté demasiado tensa.

Montaje clásico

Con este tipo de montaje conseguimos un rizo uniforme de raíz a puntas.

¿cómo lo hago?

1

2

Se divide la cabeza en 9 particiones.

3

4

Se empiezan a enrollar los bigudíes por la nuca, siendo en esta zona los bigudíes de tamaño más pequeño y a medida que ascendemos se va aumentando el grosor. Se continúa enrollando por la zona de la coronilla, patillas y por último el frontal.

¿qué necesito?

▶ Peine de desenredar: lo utilizaremos para realizar las particiones en el cabello.

▶ Pinzas de separar: para sujetar las particiones.

▶ Peine de púa de plástico: para hacer las separaciones de las mechas que hay que enrollar en los moldes.

▶ Papelillos: para proteger las puntas del cabello a la hora de enrollar el pelo.

▶ Muñequera: para poner el paquete de papelillos y facilitarnos el cogerlos.

▶ Moldes: para enrollar el cabello y conseguir el rizo deseado.

▶ Bol: para echar el liquido de permanente y/o el neutralizante.

▶ Esponjas: para aplicar el liquido de permanente y/o el neutralizante.

▶ Palos separadores: para separar las gomas del cuero cabelludo para que no queden marcadas en la raíz del cabello.

▶ Algodón: para ponerlo en el contorno de la cara para que no entre producto en los ojos.

▶ Guantes: para proteger nuestras manos.

▶ Gorro de plástico: para tapar la cabeza una vez enrollados los moldes para que se mantenga el calor y se rice el cabello.

▶ Capa de plástico: para proteger la ropa del cliente.

Pon en práctica

1. Con ayuda de tu profesor realiza e montaje de una permanente clásica.

2. MÉTODOS DEL RIZADO PERMANENTE

2.1. REDUCCIÓN

Hay dos formas de aplicar el líquido de permanente durante el proceso: antes o después de estar los bigudíes enrollados. Vamos a conocer en qué caso utilizaremos cada uno de ellos.

▶ Método Directo. Se va aplicando el líquido de permanente a la vez que se van enrollando los moldes, y una vez enrollado todo el cabello se "satura" con el líquido de permanente.

Se utiliza en todo tipo de cabellos, pero es el método más recomendado para cabellos largos, para asegurarnos de que toda la longitud del cabello está bien empapada de producto.

Es conveniente ser rápido en el enrollado para evitar que el cabello esté demasiado tiempo en contacto con el líquido de permanente.

▶ Método Indirecto. Primero se hace el montaje de los moldes (bigudíes) y después se aplica el líquido de permanente en cada molde, sin olvidarnos de ninguno. A este proceso recordemos se le llama "saturar".

El método indirecto lo utilizaremos en cabellos porosos, teñidos, con restos de permanentes, etc., también en cabellos de longitud corta donde estemos seguros que el líquido de permanente va a llegar hasta la punta.

Este método está recomendado cuando empezamos en la profesión y siempre que la longitud del cabello nos lo permita, ya que si no tenemos suficiente soltura y rapidez en el enrollado de los moldes, ésto no condiciona el resultado de la permanente.

Abc

Saturar: es aplicar el liquido de permanente cuando esta hecho todo el montaje de los moldes (bigudíes).

Pon en práctica

2. Con ayuda de tu profesor realiza una ficha de cliente para saber cómo se rellenaría el "control profesional".

2.2. NEUTRALIZACIÓN

Es el momento en el que volvemos a unir los puentes disulfuro y a fijar la nueva forma del cabello.

¿Cómo se realiza?

En el lavabo, aclararemos abundantemente con agua caliente el cabello que está enrollado en los moldes para retirar el líquido de permanente.

Debemos quitar la humedad, para ello colocaremos una toalla sobre la cabeza y presionaremos ligeramente sobre los moldes para que la toalla absorba el agua.

▶ Aplicaremos el neutralizante con ayuda de una esponja sobre cada molde sin que se nos olvide ninguno.

▶ Como el neutralizante es un producto jabonoso donde vamos aplicándolo se queda espuma encima del molde con lo que es fácil visualizar donde hemos aplicado el producto y donde no.

▶ Dejaremos actuar el producto el tiempo que marque el fabricante.

▶ Pasado el tiempo de exposición quitaremos los moldes empezando por la zona de la nuca con cuidado de no estirar el cabello y deshacer el rizo.

▶ Volvemos a aplicar el neutralizante sobre el cabello ya suelto, insistiendo en las puntas, volvemos a dejar un tiempo de exposición para que termine de fijar los puentes.

▶ Aclaramos abundantemente el cabello.

Control profesional

Es importante valorar el resultado final conseguido y anotarlo en la ficha del cliente en la que especificaremos:

▶ El tipo y estado del cabello antes del cambio de forma permanente.

▶ Los cosméticos que hemos utilizados y el tiempo de exposición.

▶ El resultado del cambio de forma y el estado en el que queda el cabello.

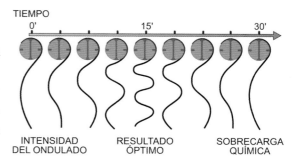

TIEMPO
0'   15'   30'

INTENSIDAD   RESULTADO   SOBRECARGA
DEL ONDULADO   ÓPTIMO   QUÍMICA

2.3. ORDEN DE REALIZACIÓN DEL PROCESO

Sea cual sea la técnica elegida, los pasos que vamos a seguir para realizar una ondulación permanente son los que se exponen a continuación:

Examen del cuero cabelludo y cabello

▶ El cuero cabelludo no debe tener ningún tipo de alteración porque en contacto con el líquido de permanente, se irritaría más.
Al examinar el cabello decidiremos el tipo de líquido de permanente que deberemos utilizar.

Elección del líquido permanente para la fase de reducción

▶ Elegiremos el líquido de permanente en función del tipo de cabello del cliente (grueso, teñido, decolorado, etc.) no en función del tipo de rizo que queramos conseguir.

Elección de los moldes

▶ El molde (madera, plástico, bodys, espiral, etc.) determinará el rizo final.
Cuanto más pequeño más rizado quedará el cabello.
Por el contrario, si usamos moldes de diámetro grande con mayor cantidad de cabello en cada uno, más suave será el rizo.

Limpieza del cabello

▶ Lavaremos el cabello con un champú suave de pH neutro o ligeramente alcalino.
No se aplicará ningún producto que nos pueda hacer de "barrera" en el paso del líquido de permanente al interior del cabello, como por ejemplo la crema suavizante, mascarilla, etc.

 Se suele cortar, al menos las puntas del cabello, para realizar el cambio de forma permanente y se puede hacer antes o al final del proceso.

Protección del cliente y del profesional

▶ Cubriremos la ropa del cliente con una bata, una toalla y una capa de plástico. Nosotros como profesionales protegeremos nuestro uniforme con un delantal de plástico y nuestras manos con unos guantes. Tanto el cliente como el profesional no deben tener puesto durante el proceso ningún objeto metálico o de pedrería que podría interferir o estropear en contacto con el producto.

Aplicación del líquido de permanente

▶ En función de los factores que hemos estudiado se elegirá el tipo de montaje y el método, directo o indirecto, en la aplicación del líquido.

Colocación de los palos separadores

▶ Una vez terminado todo el montaje de los bigudíes, hay que colocar los palos entre la goma y el bigudí, para que la goma no se quede marcada en el cabello o pueda incluso llegar a partirlo.

Tipos de exposición

▶ El tiempo de exposición viene marcado en el envase del producto, pero debemos estar pendientes de cómo va actuando el producto, e ir vigilando el proceso de vez en cuando.
El primer control lo haremos cuando terminemos de colocar todos los moldes y antes de ponerle el gorro de plástico, y ahí ya decidimos cuando lo volvemos a mirar (10- 15 minutos), si le ponemos calor o no, etc.

Neutralización

▶ Es un paso muy importante en el que se vuelven a unir los puentes disulfuro en una nueva disposición fijando la forma que hemos dado al cabello.
La neutralización se realiza, como se ha indicado en el apartado correspondiente, tras el tiempo de exposición y finalmente se aclara el cabello, con especial cuidado.

Es conveniente que el día que realizamos la ondulación permanente el cliente se peine con rulos o se seque el cabello con ayuda del difusor, no está indicado que el mismo día de la ondulación se haga el secador de mano porque no debemos estirar demasiado el cabello para no estropear el rizo.

3. CAMBIOS DE FORMA PERMANENTES PARA ALISAR EL CABELLO

El alisado permanente consiste en cambiar la forma de un cabello rizado u ondulado en liso y para ello tenemos diferentes técnicas.

Efecto de un alisado con rulos en un cabello natural muy rizado.

Efecto de alisado por estiramiento en un cabello con rizo artificial.

3.1 TIPOS DE ALISADOS

▶ Enrollado: el estiramiento del cabello se consigue enrollando el cabello en rulos de gran diámetro. Esta técnica la utilizaremos en cabellos muy rizados donde queremos agrandar el rizo sin llegar a alisarlo totalmente, consiguiendo un cabello ondulado y con volumen.

▶ Estiramiento: conseguimos el alisado estirando el cabello con un peine durante el tiempo de exposición. Esta técnica está indicada para cabellos permanentados, que tienen un rizo artificial pues este tipo de rizo es más fácil de quitar que uno natural.

▶ Exposición y estiramiento: es una técnica parecida a la anterior, pero en este caso utilizaremos esta técnica en cabellos muy rizados donde queremos conseguir un cabello liso.

▶ Japonés: es una técnica nueva con la que conseguimos un cabello liso perfecto hasta que vuelva a crecer. Los productos utilizados en este tipo de alisado proporcionan un buen resultado y se utilizan también una plancha cerámica.

Pon en práctica

3. Las personas de las siguientes imágenes se quieren hacer un desrizado, ¿cuál crees que es la técnica más indicada en cada caso?

3.2 ORDEN DE REALIZACIÓN DEL PROCESO

Examen del cuero cabelludo y cabello

▶ El cuero cabelludo no debe tener ningún tipo de alteración porque en contacto con la crema desrizante, le irritaría.
Al examinar el cabello decidiremos el tipo de crema desrizante que tendremos que utilizar.

Elección de la crema desrizante para la fase de reducción

▶ Elegiremos la crema desrizante en función del tipo de cabello del cliente (grueso, teñido, decolorado, etc.). Es conveniente antes de realizar todo el proceso de desrizado hacer una prueba en un mechón de la nuca para ver en qué estado va a quedar el cabello después del proceso, y valorar cuál es el tiempo de exposición.

Elección del método

▶ El método (enrollado, estiramiento, togas, etc.) determinará el resultado del alisado final.

Protección del cliente y del profesional

▶ Protegemos al cliente con una bata, una toalla, una capa de plástico y otra toalla limpia y seca encima de la capa para que esté bien protegida su ropa.
Como profesionales nos protegeremos el uniforme con un delantal de plástico y las manos con unos guantes. Tanto el cliente como el profesional no deben llevar ningún objeto metálico que interfiera o se estropee en contacto con el producto.

La fotocopia no autorizada es un delito castigado por la ley. Art. 270 Código Penal

Limpieza del cabello

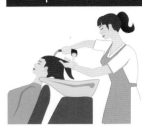

▶ Si el cabello está muy sucio realizaremos un lavado suave para que la grasa no actúe de "barrera".
En cabellos teñidos o castigados no lavaremos para que la grasa actúe de protector natural.

Aplicación de la crema desrizante

Se comienza por la zona más rizada (nuca). El producto se aplica con la paletina, a un centímetro del cuero cabelludo.

A continuación vamos a explicar cómo se realiza cada tipo de alisado:

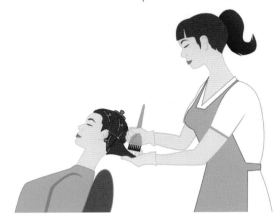

Enrollado

Podemos aplicar el producto de dos formas:

▶ Se aplica por todo el cabello, empezando por la nuca, coronilla, temporales y frontal y seguidamente hacemos el montaje de los rulos.

▶ Aplicamos el producto en la mecha que vayamos a enrollar y así por toda la cabeza. Se realiza el montaje igual que los marcados de rulos. En cualquiera de las dos formas tenemos que realizar el proceso rápidamente.

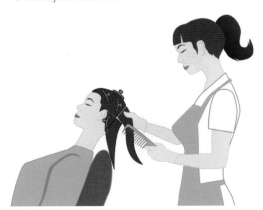

Estiramiento

▶ Hacemos las particiones y empezamos aplicando el producto por la nuca, y peinando el cabello. Según la fuerza del rizo usaremos el peine de desenredar o el de corte. Realizaremos este proceso en el resto de particiones siguiendo este orden: nuca, temporal, frontal y coronilla.

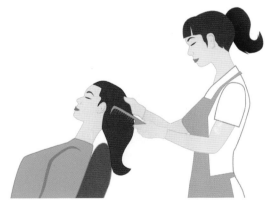

▶ Una vez aplicado el producto por todo el cabello lo peinaremos bien todo junto para que no queden ondulaciones. En todo este proceso no debemos tardar más de 15 minutos.

Exposición y estiramiento

▶ En este proceso hay dos fases: una primera en la que el rizo pierde fuerza y en la segunda se peina y estira el cabello. Hay varias formas de realizarlo, vamos a conocer las dos técnicas más usadas:

Con Toga

▶ Aplicamos el producto por todo el cabello y se realiza la toga. Se deja un tiempo de exposición, máximo de 10 minutos, y después procedemos a estirar el cabello peinándolo como en la técnica de estiramiento.

Con fricciones deslizantes

▶ Aplicamos el producto por todo el cabello y por mechas vamos realizando fricciones deslizantes con los dedos intentando que quede liso sin producir tirones. A continuación se peina con cuidado de no rozar demasiado el cuero cabelludo con el peine.

Tiempo de exposición

▶ El tiempo de exposición viene marcado en el envase del producto y no debe exceder de 15 minutos. Cuando el tiempo ha terminado, comprobamos la forma lisa del cabello peinando una mecha, si no está todo lo liso que queremos lo podemos dejar un poco más de tiempo, siempre que el estado del cabello lo permita, aunque es preferible que el cabello quede sano antes que liso y muy estropeado.

Neutralización

En el lavabo, aclararemos con agua tibia abundantemente el cabello para eliminar la crema desrizante. Debemos quitar la humedad con una toalla. Aplicaremos el neutralizante con ayuda de una esponja. El tiempo y el modo de realización varía según el método utilizado:

Enrollado

▶ En este caso se neutraliza del mismo modo que en una ondulación permanente. Aplicamos el neutralizante y lo dejamos actuar 5 minutos. Desenrollamos los moldes y aplicamos otra vez el neutralizante dejándolo actuar otros 5 minutos durante los que peinaremos con el peine de desenredar para estirar un poco más el cabello.

Estiramiento y exposición-estiramiento

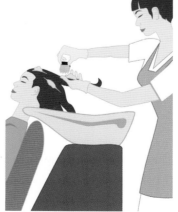

▶ Aplicaremos el neutralizante y lo dejaremos actuar 10 minutos durante los que peinaremos el cabello de vez en cuando para que no se fije con ninguna forma no deseada.

Es conveniente que el día que realizamos el alisado permanente el cliente se peine con el secador de mano, para que el cabello quede lo más liso posible.

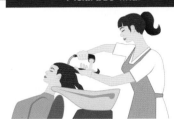

Aclarado final

▶ Una vez neutralizado el cabello, lo aclaramos abundantemente y lavaremos con un champú suave, si antes del proceso no hemos lavado. También podemos aplicar acondicionador o mascarilla para que nos facilite el peinado.

Control profesional

Como profesionales debemos valorar el resultado final. Este control lo anotaremos en una ficha del cliente donde evaluaremos lo siguiente:

▶ Tipo y estado de cabello antes del cambio de forma permanente.

▶ Cosméticos utilizados y tiempos de exposición.

▶ Resultado del cambio de forma y estado en el que queda el cabello.

4. A TENER EN CUENTA ANTES, DURANTE Y DESPUÉS DE LOS CAMBIOS DE FORMA PERMANENTES

▶ Antes de utilizar los productos hay que leer su etiqueta y comprobar que estén en buen estado y que sean los adecuados para el cabello de nuestro cliente.

▶ Los envases permanecerán abiertos el menor tiempo posible, al terminar de utilizarlos hay que cerrarlos para que no pierdan eficacia.

▶ No usar nunca recipientes metálicos en la preparación de los productos.

▶ Utilizar guantes para aplicar los líquidos reductores y neutralizantes.

▶ Hay que proteger la línea de nacimiento del cabello con cintas de algodón para evitar que el producto chorree y dañe la piel.

▶ Evitar el contacto de los cosméticos con los ojos.

▶ Al enrollar los moldes debemos cuidar especialmente que las puntas no se doblen.

▶ No someter el cabello a estiramientos y tensiones excesivas durante el periodo de aplicación del líquido reductor.

▶ En la permanente indirecta, la saturación con el líquido permanente se debe hacer molde por molde, cuidando que todos se empapen por igual.

▶ Debemos controlar muy bien los tiempos del proceso.

▶ Empapar bien el cabello con el líquido neutralizante.

En tu trabajo…

Debes aconsejar al cliente los cuidados para el mantenimiento en casa utilizando productos acondicionadores y reestructurantes, pues los cabellos después de una permanente o desrizado quedan más dañados.

Pon en práctica

4. Con ayuda de tu profesor practica en la muñeca la toga.

5. Con ayuda de tu profesor haz una prueba en un mechón a un compañero o compañera de cómo le quedaría el cabello si se hiciera un desrizado.

Recuerda

▶ Con el montaje clásico conseguimos un rizo uniforme de raíz a puntas.

▶ El montaje direccional se realiza en función del peinado.

▶ Con los bodys conseguimos un rizo ondulado y natural.

▶ En la permanente directa aplicamos el líquido de permanente a la vez que enrollamos los moldes.

▶ En el método indirecto, primero hacemos el montaje de los moldes y luego aplicamos el líquido de permanente.

▶ Saturar es aplicar el líquido de permanente cuando ya está hecho el montaje.

▶ El alisado por enrollado lo utilizaremos en cabellos muy rizados donde conseguiremos un rizo más gordo con volumen en la raíz.

▶ La técnica de alisado por estiramiento la utilizaremos para alisar cabellos con rizo artificial.

▶ Con la técnica de alisado por exposición y estiramiento conseguimos muy buenos resultados de alisado.

Actividades

1 Con ayuda de tu profesor realiza un montaje con los bodys.

2 Completa las siguientes frases:

Aplicaremos la crema desrizante con ayuda de la _____, y a _____ del cuero cabelludo.

El tiempo de exposición del desrizado no debe exceder de _____.

Después de neutralizar el alisado permanente podemos aplicar _____ para que nos facilite el peinado.

El día del alisado es conveniente peinar con _____.

3 Con ayuda de tu profesor haz en una muñeca un montaje de una permanente direccional.

4 Viene una señora al salón a hacerse una ondulación permanente, ¿Cómo la peinarías después del proceso?

5 De la lista de útiles para realizar el cambio de forma permanente para rizar el cabello, cuáles utilizarías también para el alisado permanente. Haz una relación suprimiendo o añadiendo los que tu consideres que puedes necesitar.

sí no Peine de desenredar: para hacer las particiones.

sí no Pinzas: para sujetar las particiones.

sí no Peine de púa de plástico: para coger las mechas.

sí no Peine de corte: para peinar y estirar el cabello.

sí no Rulos gordos: para el desrizado con moldes.

sí no Pinzas de plástico o picas: para sujetar los rulos.

sí no Bol: para echar la crema desrizante y/o el neutralizante.

sí no Paletina: para aplicar la crema desrizante en el cabello.

sí no Esponja: para aplicar el neutralizante.

sí no Guantes: para proteger nuestras manos durante el proceso.

sí no Gorro de plástico: para tapar el cabello en el caso del alisado por enrollado.

6 Busca información sobre el alisado japonés.

10
TEMA

Estilos de peinados

EN ESTE TEMA...

> **"** La revolución femenina del siglo XX va acompañada y marcada por la evolución del peinado femenino. La estética del cuerpo y las ideas van juntas, y se influyen mutuamente.

1. EVOLUCIÓN HISTÓRICA DEL PEINADO

El peinado nos muestra el ideal estético de cada época poniendo de manifiesto aspectos relacionados con la personalidad del individuo y con el grupo social al que pertenece.

Todas las culturas y religiones han considerado el cabello y su peinado como una seña de identidad, llevándolo largo o cortándolo, e incluso afeitando la cabeza. Al igual que en otras áreas sociales, en la evolución de los estilos de peinado se observan ciertas semejanzas en la sucesión de las civilizaciones, asimilando cada una de ellas elementos de la anterior a los que aportan innovaciones en mayor o menor grado.

Haremos una revisión histórica de los e peinados más significativos en cada época a través de películas o pinturas en las que comprobaremos como muchos estilos "actuales", están inspirados en modas de otros siglos.

Como no podemos mostrar todos los estilos, os animamos a que busquéis más documentación sobre este tema, lo que fomentará vuestra creatividad y os ayudará a avanzar en esta profesión, casi tan antigua como la historia del hombre.

1.1. EGIPTO

▶ Según el rango social así se iba peinado. Se afeitaban la cabeza y utilizaban pelucas, más o menos elaboradas.

Elizabeth Taylor, en la película "Cleopatra". Peinado actual inspirado en dicho estilo.

1.2. GRECIA

▶ En esta época, hombres y mujeres se caracterizan por llevar rizos en la frente y ondas que caen sobre los hombros.

Diane Kruger y Orlando Bloom en "Troya". Peinado actual con recogido de bucles y ondas.

1.3. IMPERIO DE ROMA

Predominan los estilos de melena rizada con bucles, recogida la parte superior en moños más o menos elaborados, con trenzas, retorcidos, postizos, frente enmarcada con rizos ensortijados, etc.

Grabado representando una cabeza de mujer y réplica actual.

Polly Walter, Kerry Condon y Lindsay Duncan protagonistas de la serie "Roma".

Peinados actuales inspirados en esta época.

1.4. EDAD MEDIA

▶ Es un largo período en el que a pesar de la austeridad que, en general, predomina a lo largo de varios siglos, el peinado evoluciona desde el que observamos en la imagen representando a Leonor de Aquitania , hasta el cabello adornado y recogido en rodetes, trenzas…, pasando por los tocados y velos que cubrían el cabello en su totalidad.

Pintura representando a la reina Leonor de Aquitania, madre del Rey de Inglaterra Ricardo "Corazón de León".

Cate Blanchett como lady Mariam, en la película "Robin Hood".

Reproducciones actuales de peinados inspirados en estilos medievales.

1.5. SIGLOS XV-XVII

▶ La frente amplia y depilada es característica de esta época. Acaba la sencillez en el peinado, dando lugar a la fantasía. Surgen los moños grandes, trenzas adornadas con joyas, redecillas, coronas, etc.

Reproducción actual de un peinado de inspiración Renacentista.

Cate Blanchett, como la reina Isabel I, en la película "La edad de oro".

Siglo XVII. Retrato de la Infanta María Teresa, de Velázquez.

1.6. SIGLO XVIII

▶ El cabello se lleva recogido con rizos y bucles. En las reuniones y actividades sociales, utilizan peinados más elaborados y pelucas de grandes dimensiones.

▶ También adornan el cabello de forma exagerada con joyas, plumas, flores, frutas, maquetas de barcos, etc.

▶ Los hombres, al igual que las mujeres, usan pelucas que en estas ocasiones suelen empolvar.

▶ A finales de éste período los estilos tienden hacia una mayor simplicidad.

Dos fotogramas de las películas "Amadeus" y María Antonieta en los que podemos observar la moda masculina y femenina de esta época.

Keira Knightley en la "Duquesa" y sus correspondientes réplicas actuales.

1.7. SIGLO XIX

▶ En este periodo se pasa de los peinados complejos y elaborados del Barroco, a una época más sencilla, con el cabello ensortijado y rizos que recuerdan los estilos de la época griega.

▶ Con el Romanticismo, los peinados se hacen más elaborados los recogidos se acompañan de trenzados y tirabuzones.

Jean Simmons en "Desirée".

Peinados inspirados en la época Romántica.

Película "Mujercitas", con Elizabeth Taylor

Bette Davis en la película "Jezebel".

109

1.8. PRIMERAS DÉCADAS DEL SIGLO XX

"Belle Epoque" y período entre guerras

► A finales del siglo XIX e inicios del XX el cabello se llevaba recogido en lo alto de la cabeza.

Bette Davis en la película "The sister".

Misha Barton, con un peinado a lo *garçon* y Greta Garbo y Marlene Dietrich con un clásico estilo de los 30-40.

► En los años veinte, con el aumento de la incorporación de la mujer a la vida laboral, aparece por primera vez el corte de cabello como concepto de moda con el estilo a lo *garçon*.

► Aparecen nuevas técnicas y con ellas las ondas y las permanentes.

Irene Dune con Gary Grant en la película "Terrible verdad".

2. ESTILOS DE PEINADO EN LA ACTUALIDAD

Tras terminar la guerra española y la Segunda Guerra Mundial comienza una época de grandes cambios en el peinado, junto con los avances de la cosmética y las técnicas en Peluquería.

En los 50 y 60

Constituyen la época dorada de Hollywood. Se ponen de moda los recogidos con tupés sobre la frente, y son tendencia los cabellos largos con ondas grandes. Son los estilos llamados "arriba España" y "Peek-a-boo-bang" que se caracteriza porque la onda tapaba un ojo. Se lleva el color rubio platino, sobre todo en los años 50, moda que continuará en la siguiente década.

Carmen Miranda con tupé.

Rita Hayworth
y peinado inspirado
en dicho estilo.

Marylin Monroe, "sex symbol" de los 50.

Entre los hombres, Elvis Presley fue un mito por poner de moda el tupé roquero.

En los 60 y 70

Se llevan los cardados, recogidos como el moño italiano, pelo corto, melenas, etc.
En los jóvenes el peinado se convierte en un símbolo de su identidad para que se les reconozca a que grupo pertenecen: los hippies, la moda afro, etc. Melenas lisas y largas, pelo muy ensortijado, capas degradadas, rastas, etc. Tanta variabilidad supone un gran auge de las técnicas de cambios de forma y peinado.

Un nuevo estilo, con el cabello cardado representado por la actriz Brigitte Bardot, y un fiel reflejo de ese estilo en un peinado actual.

A finales de los 70 y en los 80

Hay una creciente obsesión por la estética y el culto al cuerpo, que continúa en la actualidad. Hombres y mujeres se preocupan mucho por su físico y el peinado es una seña de identidad. En esta época se desarrollan las extensiones y trenzados tribales.

Audrey Hepburn marca una nueva tendencia en el peinado.

Moda estilo Hippy.

Es el auge de muchas tribus urbanas: los punk, tecno, etc.

Cindy Lauper (cantante punk).

Julia Roberts en "Pretty woman" (1988). En los 80 el estilo dominante es el rizado permanente en todas sus longitudes.

Últimas décadas del siglo XX a la actualidad

En las últimas décadas vemos que no hay un estilo fijo de peinado, si no que se impone el cambio de formas y colores. Intentamos parecernos a nuestra modelo, actriz o cantante favorita, sin embargo los hombres se fijan en los deportistas para imitarles.

Linda Evangelista.
Scarlett Johansson.

Madonna.
Sharon Stone.

David Beckham.
Cristiano Ronaldo.

2.1. RECOGIDOS

En la actualidad los recogidos se hacen para lucir en cualquier acontecimiento ya que existe una amplia variedad de estilos, desde los clásicos hasta lo más juveniles e informales.

Hay técnicas de ejecución: bucles, retorcidos, trenzas, puntas disparadas, etc., que deberemos adaptar al estilo personal de cada clienta y a la ocasión en la que deba lucirse.

Moños y rodetes

Abc

Moño: conjunto de pelo arrollado y sujeto encima, detrás o a los lados de la cabeza.

Rodete: moño hecho en forma de rosca.

Bucles

Abc

Bucles: forma de rizo amplio y corto que se consigue obligando a una mecha de pelo a formar un arco con horquillas o laca.

Abc

Cordones: técnica en la que se tejen dos mechas del cabello girándolas en el mismo sentido y se montan cruzándolas en sentido opuesto.

Trenzados: peinado que se realiza cruzando y entretejiendo, de forma más o menos apretada, tres o más mechas de cabello, incluso formando una malla.

Cordones y trenzados

Cordones.

Trenzados.

Trenzados.

Tirabuzones y retorcidos

Abc

Tirabuzones: mechón de cabellos en forma de espiral y colgante, que se consigue enrollándolo sobre un palo redondo.

Retorcidos: técnica en la que una mecha de cabello se gira sobre sí misma a lo largo de toda su longitud.

Tirabuzones.

Retorcidos.

Retorcidos con puntas disparadas.

2.2. EXTENSIONES.

Son cabello: mechones de cabello que se adosan (con adhesivos, clips, etc.) a la cabellera de una persona, para darle más longitud o volumen; es una forma parcial de postizo.

Las extensiones fijas o de quita y pon han sido toda una revolución en los últimos años.

Proceso de aplicación de extensiones con banda adhesiva.

2.3. RASTAS

Las rastas son una forma de arreglo del cabello que se encuentra con frecuencia entre los miembros del movimiento "rastafari." No sólo los "rastafaris" usan rastas, también en otros lugares como India, donde las portan los Sadhus (Hombres sagrados). Actualmente se han puesto de moda entre algunos grupos urbanos.

Las rastas deben ser flexibles y maleables y para hacerlas se precisan varias horas de trabajo. Este estilo requiere que el cabello no sea peinado ni cortado. Su mantenimiento necesita tiempo, dedicación e higiene.

Recuerda

▶ El peinado nos muestra el ideal estético de cada época poniendo de manifiesto aspectos relacionados con la personalidad del individuo y el grupo social al que pertenece.

▶ En la evolución de los estilos de peinado se observan ciertas semejanzas en la sucesión de las civilizaciones. Podemos comprobar como muchos estilos "actuales", están inspirados en modas de otros siglos.

▶ En los años veinte aparece por primera vez el corte de cabello como concepto de moda con el estilo a lo *garçon*. Aparecen también nuevas técnicas en Peluquería y con ellas las ondas y las permanentes.

▶ La segunda mitad del siglo XX supone un gran auge de las técnicas de cambios de forma y peinado.

▶ Existen distintas técnicas en la ejecución de recogidos: bucles, retorcidos, trenzas, puntas disparadas, et., que deberemos adaptar al estilo personal de cada cliente y a la ocasión que deba lucirse.

▶ Las extensiones son mechones de cabello que se adosan (pegados, cosidos, adhesivos, clips, etc., a la cabellera de una persona para darle mayor longitud o volumen; es una forma parcial de postizo.

▶ Las rastas deben ser flexibles y maleables. Para hacerse se precisan varias horas de trabajo y su mantenimiento requiere tiempo, dedicación e higiene.

Actividades

1. A los siglos XVII-XVIII crees que les va el refrán "Antes muerta que sencilla".

2. Las películas de Sissi, ¿a qué época corresponden?

3. Busca fotos de diferentes años del siglo XX de revistas, Internet o de tu propia familia y establece su relación con la época de la historia con la que se correspondan.

4. Mira la película de "13 rosas" y di en qué época está ambientada y describe las características del peinado.

5. Observa los recogidos que aparecen en los peinados que se inspiran en las diferentes épocas de la historia. ¿Podrías indicar qué técnicas se han empleado? Retorcidos, sortijillas, bucles, etc.

6. Las rastas dan sensación de dejadez, suciedad, etc. pero ¿crees que es verdad?. Estableced un debate en clase acerca de lo qué opináis de las rastas y las extensiones.

7. Busca en revistas, Internet,... fotos de recogidos sencillos que te gusten y, con ayuda de tu profesor o profesora, intenta explicar cómo hacerlos.

8. Observa los peinados de la película "La niña de tus ojos". ¿Con qué técnica crees que obtendrás resultados similares?

CALIDAD EN LA APLICACIÓN DE LOS SERVICIOS DE CAMBIOS DE FORMA

La calidad de un servicio no sólo se valora por el buen resultado del mismo, sino también por la percepción que de él reciba el cliente, y en ello influyen otros parámetros que se explican en el siguiente cuadro.

PARÁMETROS QUE DEFINEN LA CALIDAD DEL SERVICIO DE CAMBIOS DE FORMA EN EL CABELLO	
TIEMPO	▶ Cuanto más practiquemos más habilidad tendremos en las manos y menos tiempo tardaremos en realizar los servicios de cambio de forma en el cabello.
ÚTILES	▶ Debemos saber elegir correctamente los útiles necesarios para facilitarnos el trabajo.
PRODUCTO	▶ La correcta elección y aplicación del producto nos facilitara el trabajo y nos ayudará a obtener mejores resultados.
TÉCNICA	▶ La elección y realización de la técnica de cambio de forma adecuada al tipo de cabello y para un determinado peinado, requiere atención y práctica y es señal de profesionalidad.
ATENCIÓN AL CLIENTE	▶ Para que un cliente este satisfecho con el servicio prestado tiene que sentirse atendido en todo momento. ▶ No debemos mantener conversaciones con los compañeros mientras estamos realizando el trabajo. El cliente debe percibir que nuestro interés y atención, en esos momentos, está centrado en atender sus deseos. ▶ El cliente valora tanto la atención que se le dé cómo el servicio realizado.

DESVIACIONES DEL SERVICIO DE CAMBIO DE FORMA EN EL CABELLO

DESVIACIÓN DEL SERVICIO	PAUTAS DE CORRECCIÓN
▶ Puntas dobladas. ▶ Mal enrollado en el molde.	▶ Prestar atención al enrollar los moldes y ayudarse con la púa del peine.
▶ Volumen Inadecuado.	▶ Adecuar el molde al volumen deseado.
▶ Aspecto encrespado al finalizar el trabajo con secador de mano o plancha.	▶ Trabajar más el cabello. ▶ Aplicar producto antiencrespamiento.
▶ Marcas de pinzas y/o desviación de raices.	▶ Colocar adecuadamente las pinzas y/o los moldes dependiendo del servicio a realizar (rulos, anillas, toga, etc.). ▶ Realizar de nuevo el montaje y peinado.
▶ Marcas de gomas después de un cambio de forma permanente.	▶ Colocar adecuadamente las gomas, sin que estén muy tensas, ni muy pegadas al cuero cabelludo. ▶ Repetir la permanente tras un periodo corto de tiempo.
▶ Cabello reseco después de un cambio de forma permanente = Líquido inadecuado o tiempo excesivo del producto en el cabello.	▶ Elegir correctamente el líquido. ▶ Realizar un tratamiento de hidratación. ▶ Cortar las puntas.

Evaluación de los servicios y valoración de los resultados

La evaluación es un proceso que intenta determinar, de la manera más objetiva posible, la eficacia y eficiencia del servicio recibido.

Para poder saber qué es lo que opinan los clientes de nuestros servicios y de la atención recibida, debemos realizar una serie de encuestas para medir la calidad.

Encuesta de chequeo de control de calidad

Al final de cada servicio evaluaremos los resultados, con ello pretendemos conseguir detectar los posibles errores al realizar los cambios de forma, llevando a cabo el control de calidad.

Calidad es también saber asesorar al cliente sobre el trabajo que se va a realizar.

En todos los documentos de recogida de datos deben figurar los de la empresa de peluquería que lo realiza.

ENCUESTA DE CONTROL DE CALIDAD

Servicio prestado	**Color**		
Cambio de forma permanente	**Peinado**		

		Bueno	Regular	Malo
Profesional responsable:	**Fecha:**			

Adecuación de la atención al cliente

	Bueno	Regular	Malo
▶ Acomodación del cliente.	☐	☐	☐
▶ Protección correcta para el cambio de forma.	☐	☐	☐
▶ Atención y supervisión del servicio.	☐	☐	☐
▶ Se ha suministrado información de la técnica.	☐	☐	☐
▶ Asesoramiento de cuidados posteriores.	☐	☐	☐

Adecuación del equipo

	Bueno	Regular	Malo
▶ Limpieza y buen estado de los útiles.	☐	☐	☐
▶ Cepillos y peines se corresponden al cambio de forma.	☐	☐	☐
▶ Moldes y accesorios en cantidad suficiente.	☐	☐	☐
▶ Secadores y aparatos en correcto funcionamiento.	☐	☐	☐
▶ Orden y preparación previa del equipo.	☐	☐	☐

Resultado del servicio

	Bueno	Regular	Malo
▶ Lavado y acondicionado del cabello.	☐	☐	☐
▶ Masaje del cuero cabelludo.	☐	☐	☐
▶ Cuero cabelludo irritado.	☐	☐	☐
▶ Puntas dobladas.	☐	☐	☐
▶ Marcas de accesorios.	☐	☐	☐
▶ Dirección correcta.	☐	☐	☐
▶ Volumen proporcionado.	☐	☐	☐
▶ Cabello suave y con brillo.	☐	☐	☐

Limpieza del salón

	Bueno	Regular	Malo
▶ Restos de cabellos.	☐	☐	☐
▶ Manchas de productos en el mobiliario o en el suelo.	☐	☐	☐
▶ Lavacabezas limpio.	☐	☐	☐
▶ Orden.	☐	☐	☐

Imagen del profesional

	Bueno	Regular	Malo
▶ Uniforme limpio.	☐	☐	☐
▶ Peinado y maquillaje adecuado.	☐	☐	☐
▶ Manos arregladas.	☐	☐	☐
▶ Higiene personal.	☐	☐	☐

Organización del servicio

	Bueno	Regular	Malo
▶ Retraso del comienzo respecto a la hora de cita.	☐	☐	☐
▶ Tiempo ajustado al procedimiento.	☐	☐	☐
▶ Control de agenda.	☐	☐	☐

Encuesta de valoración del grado de satisfacción del cliente

Con estas encuestas lo que pretendemos saber es cómo valoran los clientes el servicio recibido de cambios de forma, y su resultado.

ENCUESTA DE VALORACIÓN DE SATISFACCIÓN DEL CLIENTE			
Servicio prestado — **Color**			
Cambio de forma — **Peinado**			
Atención al cliente	Bueno 😊	Regular 😐	Malo ☹️
▶ Atención telefónica.	☐	☐	☐
▶ Recibimiento.	☐	☐	☐
▶ Acomodación.	☐	☐	☐
▶ Asesoramiento.	☐	☐	☐
▶ Atención durante el servicio.	☐	☐	☐
▶ Despedida.	☐	☐	☐
Tiempo (valorar el tiempo en conjunto, desde que se entra en el salón hasta que se va).	☐	☐	☐
Resultado del servicio	☐	☐	☐
Limpieza de los útiles	☐	☐	☐
Estado y limpieza del salón de Peluquería	☐	☐	☐
Imagen del profesional (uniforme, aseo, peinado, etc.).	☐	☐	☐

En tu trabajo...

La valoración de los resultados es el reconocimiento al servicio recibido.
Tanto la evaluación, control del proceso y resultados del servicio se realiza tanto por el profesional, como por el cliente, la valoración del mismo es una herramienta que nos va a servir para crecer como profesionales, pues debemos saber aceptar las críticas e intentar mejorar ahí donde fallamos.

Pautas de actuación ante las quejas de los clientes

Con estas pautas sabremos cómo debemos actuar en caso de que un cliente tenga alguna queja del servicio recibido de cambios de forma y/o de su resultado.

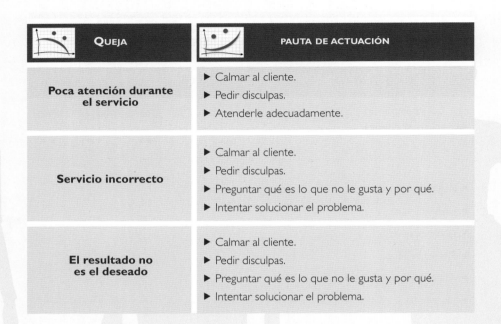

QUEJA	PAUTA DE ACTUACIÓN
Poca atención durante el servicio	▶ Calmar al cliente. ▶ Pedir disculpas. ▶ Atenderle adecuadamente.
Servicio incorrecto	▶ Calmar al cliente. ▶ Pedir disculpas. ▶ Preguntar qué es lo que no le gusta y por qué. ▶ Intentar solucionar el problema.
El resultado no es el deseado	▶ Calmar al cliente. ▶ Pedir disculpas. ▶ Preguntar qué es lo que no le gusta y por qué. ▶ Intentar solucionar el problema.

Prestar atención a los deseos y demandas del cliente es el primer paso para no cometer errores.

Actividades

1. Lleva a cabo la evaluación de control de calidad en cada uno de los cambios de forma que has realizado.

2. En grupos, llevad a cabo la simulación de alguno de los siguientes supuestos.

- Como cliente cumplimenta el cuestionario de satisfacción en el que valoras el servicio.

- Como profesional, intenta atender sus quejas. Posteriormente, debatid entre los compañeros que es lo que ha podido fallar para que se hayan producido estas situaciones:

a. La clienta está descontenta del trato recibido.

b. La clienta está descontenta con el resultado obtenido, argumentando que el cambio de forma que se le ha realizado no es acorde a su estilo.

c. La clienta está descontenta con el precio que se le ha cobrado por el alisado permanente del cabello, argumentando que es excesivo.

d. La cliente vuelve pasado unos días y nos dice que el peinado que se le realizó, pasadas unas horas, había prácticamente desaparecido.

Esperamos que con el desarrollo del curso te hayas dado cuenta de que tu propia imagen y el cuidado personal que desarrolles en ti consigue de forma simultánea dos objetivos: tu bienestar personal-profesional y la valoración positiva de los clientes que se acercan a ti.

Al finalizar este curso se abre una nueva etapa personal y profesional, puedes optar por el mundo laboral o por seguir con tus estudios.

La formación y las salidas que tienes como auxiliar de imagen personal son muchas: salones de estética, *nail's bar*, peluquerías, caracterización, asesoría y estilo.